RAFAEL AYALA

D0901542

SANANDO LAS
HERIDAS
DEL ALMA

El verdadero concepto
del perdón para alcanzar
libertad y paz interior

TALLER DEL ÉXITO

SANANDO LAS HERIDAS DEL ALMA

Copyright © 2013 · Rafael Ayala y Taller del Éxito Inc.

Reservados todos los derechos. Ninguna parte de esta publicación puede ser reproducida, distribuida o transmitida, por ninguna forma o medio, incluyendo: fotocopiado, grabación o cualquier otro método electrónico o mecánico, sin la autorización previa por escrito del autor o editor, excepto en el caso de breves reseñas utilizadas en críticas literarias y ciertos usos no comerciales dispuestos por la Ley de derechos de autor. Para solicitud de permisos, comuníquese con el editor a la dirección abajo mencionada:

Taller del Éxito Inc.
1669 N.W. 144th Terrace, Suite 210
Sunrise, Florida 33323
Estados Unidos
Tel: (954) 846-9494
www.tallerdelexito.com

Editorial dedicada a la difusión de libros y audiolibros de desarrollo personal, crecimiento personal, liderazgo y motivación.

Diseño y diagramación: Diego Cruz
Primera edición publicada por Taller del Exito 2002

ISBN 13: 978-1-93105-936-7
ISBN 10: 1-931059-36-5

Printed in the United States of America
Impreso en Estados Unidos

13   14   15   16   17   R|UH   16   15   14   13   12

Índice general

Dedicatoria

Con todo mi amor para
Gaby, Mariana y Gabita.

Con reconocimiento, cariño y gratitud para
Mis papás, Rafael y Yolanda.

Y con especial afecto a mi hermano Rosendo
y mis hermanas Lelis y Yolis.

AGRADECIMIENTOS

*E*ste libro es el pago de una vieja deuda. Para ser exacto es una deuda como de seis o siete años. La historia es la siguiente. Mirna Pineda, conocida directora de televisión en Sonora, México, me invitó a su programa de televisión "Excelente" para exponer un tema de superación personal o profesional.

En ese entonces yo trabajaba como gerente general de un negocio familiar dedicado a la producción y venta de fertilizantes líquidos para la agricultura. También dirigía como voluntario un grupo juvenil cuyo objetivo era ayudar a los jóvenes y jovencitas a tener una vida libre de adicciones y temores, y a desarrollar mejores relaciones entre ellos, con sus padres y familiares y con Dios. Hacia allá se enfocó mi charla con Mirna cuando nos reunimos a planear mi participación en su programa.

En la conversación me preguntó cuál era el mayor reto o dificultad que trataba con los muchachos. Indudablemente eran sus relaciones y situaciones emocionales, principalmente los conflictos con sus padres que repercutían en sus relaciones en general. Le comenté que esa falta de perdón dañaba sus corazones y producía heridas en sus almas que les estorban para ser plenamente felices. Los ojos de Mirna se iluminaron. Me interrumpió con entusiasmo y comentó:

- ya tenemos tema y título, "heridas del alma". Apenas tomó un pequeño respiro y agregó: - me agrada. Creo que es algo que también puede gustarle a la gente y definitivamente todos tenemos de ello un poco". Mirna tenía razón.

A partir del día que el programa salió al aire, el tema de las "heridas del alma" no se apartó de mi vida. A mi oficina llegaban llamadas de distintas partes de la república mexicana pidiéndome consejo y agradeciendo. Pero el punto más recurrente era que pedían que les enviara una copia de mi libro de las heridas del alma. Surgieron invitaciones para compartir al respecto en instituciones educativas, iglesias, asociaciones civiles y hasta en grupos de amigos y familias.

Desde el día que recibí esas llamadas me he sentido en deuda con toda la gente que a lo largo de estos años me ha pedido que publicara estos conceptos. Para resolver parcialmente esta necesidad produje el audio "Sanando las heridas del alma" que ha circulado por aquí y por allá desde hace tres años. Pero la deuda continuaba sin saldarse. Dentro de mis acreedores se encuentran varias personas, pero hay algunas en especial con las que siento que el saldo es mayor debido a su insistencia, motivación, ayuda y presión para que escribiera este libro.

A estos acreedores vaya mi reconocimiento y amistad:

Chesco, muchas gracias a ti y a tu secretaria por transcribir el audio en texto para que me sirviera de guía para redactar el libro. El día en que me enviaste el texto por correo electrónico significó para mí mucho más que una transcripción, ya que debido al momento exacto en que sucedió fue una respuesta divina para continuar en estos caminos de reflexión, superación y motivación de la conciencia.

Rosario. Que Dios honre tu tesón, fe y esperanza, a pesar de que parecía que yo me empecinaba en debilitártela con mi permanente demora. Finalmente siento que, aunque tarde, he cubierto el monto de la deuda. Muchas gracias. Jesús Reyes Heroles decía que los guerrilleros son aceleradores de la historia, ya que en toda civilización tarde o temprano sucede lo que tiene que suceder, pero los guerrilleros se encargan de que suceda más pronto. Has sido la guerrillera de este libro.

Camilo y Ricardo. Trabajar con ustedes ha sido sumamente agradable y sé que este libro hubiera demorado bastante más de no ser por sus proyectos, planes y deseos de promover mis materiales y seminarios. Ya "tocaba" terminarlo y ustedes han sido personas claves en el proceso. Camilo, muchas gracias por tus comentarios sobre la redacción. Has sido generoso al compartir conmigo tu experiencia como escritor. Lo que se inició como una relación profesional se ha convertido en una buena amistad. Gracias por creer en mí, por todo el trabajo y tiempo que han invertido en mi persona.

Gaby. En tu caso no has sido solamente mi recordatorio para escribir este libro y muchos más. Te convertiste en una constante motivadora de mi misión en la vida. Te has atrevido a respaldarme en esta forma de vivir tan poco común y a veces incierta. Has sido valiente al "aventarte" conmigo a este deseo de vivir basándonos más en lo que creemos y queremos que en lo que se supone que deberíamos hacer como matrimonio "maduro y responsable". Gracias. Espero que este libro ahora terminado sea para ti una fuente de inspiración que te motive a continuar el recorrido de tu propio viaje interior y encontrar tus anhelos más íntimos para llevarlos a cabo.

A todas aquellas personas que en alguna o varias ocasiones se acercaron para recomendarme, motivarme, pedirme y hasta exigirme que escribiera este libro, muchas gracias. Espero que el valor que encuentren en estas páginas sea equivalente al pago de la deuda, o por lo menos se convierta en un buen abono que satisfaga sus deseos y necesidades del alma.

Finalmente vaya mi gratitud total al único digno de recibir todo el mérito y honra. Gracias Señor por ser paciente conmigo y por darme tantas oportunidades de corregir mi sendero. Gracias también por proveer mi vida, mente, espíritu y corazón con las experiencias y conocimientos que me han permitido comprender que la vida se trata de disfrutar, perdonar, pedir perdón y recurrir a ti. Gracias por todas las puertas que me has abierto a través de las personas que pusiste en mi camino. Todo lo bueno que puede haber en mí tú lo depositaste a pesar de ver todo lo malo que ya había. Realmente este libro es tuyo. Mi deseo ha sido que tú seas el verdadero autor y yo sólo sea tu pluma. Gracias por la oportunidad de acercarme a tu creación para compartir algo de lo que me has dado.

PRÓLOGO

Es indudable que dentro de cada uno de nosotros se encuentra el poder para cambiar el mundo. Todo ser humano posee la semilla de grandeza necesaria para triunfar, ser feliz y alcanzar sus metas más ambiciosas.

Tristemente, para muchas personas, la felicidad, el éxito, la paz y la armonía no son las emociones reinantes en su vida. ¿Por qué? Lo cierto es que somos el resultado de nuestros pensamientos. Las ideas, creencias e imágenes que consistentemente mantenemos en nuestra mente, suelen manifestarse en nuestro mundo exterior. El rencor, la duda, el odio, la amargura y el miedo son emociones que intoxican nuestra mente y sabotean nuestro éxito.

Lo curioso es que nadie nace con estas emociones. Este tipo de negativismo es aprendido y condicionado o programado en nuestro subconsciente. En la medida en que cambiamos nuestra manera de pensar y comenzamos a pensar en forma positiva, más optimista, poco a poco reprogramamos nuestra mente y cambiamos la dirección y el rumbo de nuestras vidas.

En mi carrera como escritor he tenido la oportunidad de conocer grandes escritores y conferencistas que a través de sus obras comparten diferentes maneras de lograr este cambio. No obstante, son pocos los que logran ayudarnos a trascender lo cotidiano y a elevar el espíritu hacia espacios más profundos de paz, compromiso y aceptación de nuestro ser, como lo hace mi gran amigo Rafael Ayala.

En una era de grandes cambios y cuestionamientos acerca de los valores que deben guiar nuestra vida, pocos escritores han logrado, a través de sus escritos y su filosofía, ofrecer a sus lectores una oportunidad personal para crecer espiritualmente a través del compromiso permanente consigo mismo.

Después de haber tenido el privilegio de leer el manuscrito de esta obra, puedo afirmar que su mayor atributo es que a través de reflexiones y ejemplos sencillos y prácticos, pero profundos, él nos invita a evaluar aspectos fundamentales de las relaciones entre los seres humanos. Esta obra es un verdadero cofre de ideas que nos ayudará a limpiar el alma de prejuicios y resentimientos para permitir que sea la vida la que nos inunde de alegría, elevando la autoestima, aprendiendo a vivir en medio de la sencillez profunda y alimentando el alma con emociones positivas.

Rafael bien lo señala: "Somos la variable más grande de la creación" y como tal, debemos aprender a conocernos y a valorarnos para poder establecer relaciones sanas y satisfactorias. Somos seres que trascendemos a través de nuestro espíritu, que tenemos un alma racional-emocional y que proyectamos lo que somos, a través de nuestro cuerpo.

La armonía entre el cuerpo, el alma y el espíritu es la que permite que seamos seres únicos e irrepetibles en el mundo; es la que nos hace crear y proyectar nuestra propia individualidad.

Tanto en las conferencias en las que hemos tenido la oportunidad de compartir el escenario como en sus audio libros y ahora en esta fantástica obra, siempre he admirado el lenguaje cálido y profundamente humano, con el cual Rafael logra transmitir su mensaje. *Sanando las Heridas del*

Alma nos lleva por las sendas que podemos transitar para alimentar el alma y el espíritu, y alcanzar un desarrollo integral de nuestro ser.

Nuestro cuerpo es el "instrumento que poseemos para poner los pensamientos en acción y convertir en realidad las emociones e ideas que generamos" y es por medio de él como el alma manifiesta sus sentimientos y su libertad de decisión, interpretando la infinita melodía de la creatividad personal y el sello de nuestra propia historia: la historia del alma como una sinfonía que nos lleva a descubrir lo mejor de nosotros mismos, de nuestras emociones y pensamientos, liderados por la voluntad para crecer día a día, amar, perdonar y seguir adelante.

Estoy seguro que tú también disfrutarás esta maravillosa aventura que descubre el poder liberador del perdón y la magia de ser nosotros mismos, encarnados en un cuerpo que trasciende a través de nuestra creatividad individual, en pos del bien nuestro y el de nuestros semejantes. Una vez leída, con seguridad, serás un mejor ser humano y te habrás acercado un poco más al logro de la verdadera libertad espiritual.

—Camilo Cruz, Ph. D.

RECOMENDACIONES

*E*n cada seminario que imparto doy algunas recomendaciones previas, antes de exponer la información, para que los asistentes obtengan un mayor provecho del tema. A continuación hago una lista de unas cuantas de ellas. Mi deseo es que alcancen el máximo beneficio posible de este material y que su experiencia al entrar en su ser interior, no se limite a la lectura del libro, sino que la trascienda mejorando su convivencia con los demás y consigo mismo.

Aplique la información a su propia vida.

Concéntrese en aplicar la información que considere valiosa a su propia vida. Sé que a medida que avance en la lectura encontrará ideas importantes para amigos y familiares suyos; resista la tentación de adjudicarlas a ellos en lugar de hacerlo en usted.

Haga anotaciones en el libro.

Uno de los grandes beneficios que ofrece la lectura es la posibilidad de personalizarla. Subraye puntos que le parezcan importantes y haga anotaciones al margen. Recuerde que al hacer esto no está dañando su libro, por el contrario lo está enriqueciendo. De hecho considero que al individualizar un libro lo convertimos en un verdadero manual de consulta. Al concluir la lectura del libro repase las partes que subrayó y sus anotaciones. No confié en su memoria, anote. "Tiene mejor memoria un papel arrugado que una mente brillante".

Comparta con otra persona el conocimiento que vaya adquiriendo.

La mejor manera para aprender algo es enseñándolo a otra persona. Comprométase a compartir con alguien la información del libro. Hacerlo le brindará la oportunidad de conocer otra opinión, además de profundizar en la compresión del material. También fortalecerá su relación con dicha persona ya que el contenido trata aspectos muy importantes de las relaciones humanas. Sea fiel a este compromiso. Determine ahora mismo con quién compartirá el contenido del libro. No espere a terminarlo, comparta a medida que avance en la lectura y recuerde leer para enseñar y no sólo para comprender. Cuando lo hacemos así nuestra retención y aprendizaje incrementan considerablemente.

Tome lo bueno y deseche lo malo.

Los seres humanos somos la variable más grande del universo, somos impredecibles y cambiantes; por lo que es imposible pensar que cada consejo o recomendación será la respuesta ideal para todas las personas bajo cualquier circunstancia. A pesar de que este libro está pensado con base en principios universales, es necesario considerar cada situación individualmente. Juzgue lo que vaya leyendo y permita que sobre toda duda o controversia, predomine el sentido común. Recuerde que cada persona es diferente y que vivimos distintos momentos y realidades, así que pondere los consejos aquí escritos y opte por aquellos que traigan paz, estabilidad y beneficios reales a su vida y a la de los demás. Pero, por favor, no utilice esta aclaración para justificar su temor a enfrentar situaciones incómodas pero necesarias.

Comuníquese con nosotros y comparta a otros sus experiencias de sanidad interior y restauración de relaciones.

El milagro tecnológico que vivimos en el siglo XXI nos permite establecer comunicación de una manera económica y rápida. Visite nuestra página electrónica en la red de internet y haga sus comentarios y preguntas respecto al material; narre sus experiencias y testimonios de lo que le ha sucedido al aplicar las recomendaciones que le doy en el libro.

La dirección es: www.superacionhumana.com

—RAFAEL AYALA

INTRODUCCIÓN

*D*urante unas vacaciones de verano, cuando era estudiante universitario, realicé un viaje a Nueva York con la compañía y patrocinio de mi hermana. En aquel entonces mi mayor pasatiempo y trabajo eventual era la fotografía, por lo que ya puede imaginar la cantidad de equipo y material fílmico que llevé a "la gran manzana". Al llegar a la ciudad de los rascacielos Lelis y yo nos dirigimos, como buenos turistas, hacia la estatua de la libertad. Después de esperar en una larga fila subimos a la pequeña embarcación que nos llevaría a la isla donde se encuentra el monumento. Durante el recorrido aproveché para poner el primer rollo de película en mi cámara, pero justo en el momento de hacerlo, la lancha hizo un movimiento brusco y solté el rollo fotográfico. Para mi desgracia éste cayó directamente sobre el obturador de la cámara, dañándolo lo suficiente como para no poder utilizarla el resto del viaje. Ahí estaba yo, en Nueva York, con mi cámara fotográfica y sin poder fotografiar.

Días después pedí prestada otra cámara a un amigo que visitamos. Cada día se convirtió en una verdadera cacería fotográfica. Me esmeré en usar el mejor lente para cada momento, esperaba la hora del día indicada para obtener el efecto y las sombras que más me agradaran. Me levantaba de madrugada para atrapar con el lente los colores cálidos y especiales de los primeros rayos del sol. Cada "clic" quedaba grabado en mi imaginación como una fotografía digna de enmarcar, observar, y ¿por qué no?, de inscribirla en un concurso. Obviamente, además de las estampas artísticas tomé muchas otras fotografías de nuestros queridos amigos estadounidenses.

Si usted es aficionado a la fotografía entenderá perfectamente la emoción que se siente al recibir los rollos ya revelados e impresos. Así me encontraba el día que fui al laboratorio para recoger mis tesoros de papel. Mi decepción fue gigante. No, las fotografías no salieron feas, ni movidas, ni fuera de foco o un poco oscuras; ni siquiera salieron. Todos los rollos se encontraban totalmente blancos; ni una sola foto se había salvado

No lo podía creer, debía haber algún error; algo habían hecho mal en el laboratorio o me estaban entregando los rollos de otro cliente. Eso podía pasarle a otros, pero no a mí y mucho menos con los rollos del viaje a Nueva York. Después de un tiempo de vana discusión con el encargado del negocio caí en cuenta de lo que había sucedido: el sistema de la cámara para arrastrar el rollo, estaba defectuoso y los rollos nunca avanzaron. Uno puede confirmar si la película se adelanta con sólo observar si gira la bobina opuesta a la de la palanca de avance, es decir, el carrete donde se encuentra el filme. Realmente esto es algo fácil y elemental. En otras palabras lo que había pasado era que cada vez que colocaba una película, no lo hacía bien y ésta no avanzaba, por lo que en realidad nunca tomé fotos; había llevado a revelar puros cilindros en blanco, totalmente nuevos; los había colocado en la cámara, disparaba el obturador, pero nunca caminó el rollo.

La lección de esta experiencia fue lo suficientemente fuerte como para que hasta la fecha no la olvide. Aprendí que de nada sirve concentrarme en tanto detalle técnico como la luz, lentes, sombras, filtros, colores y demás, si primero no ponía total atención en lo básico, lo realmente importante, en este caso, colocar bien el rollo. Si el rollo no avanza, no hay fotografía.

Este suceso me ha hecho reflexionar sobre la simpleza de la vida y la complejidad que generamos al vivirla. La vida es muy sencilla y las personas somos muy complicadas; pasamos gran parte de nuestras vidas concentrados en todo tipo de detalles y olvidamos las cosas realmente importantes. La mamá hace el berrinche más grande del mes al darse cuenta que la ropa que envío a la tintorería no quedó tan blanca como en los comerciales; el ejecutivo cuida celosamente que se respeten los formatos de los informes y deja de lado la misión de la empresa; el conductor de un automóvil enloquece porque el vehículo que va frente a él no sale disparado al cambiar el semáforo a verde. Su frustración se debe a que ha perdido un segundo aproximadamente. Los papás se desesperan con sus hijos adolescentes o infantes porque se comportan como es característico de su edad en lugar de actuar como los adultos que aún no son; rompemos relaciones con los vecinos porque el perro ladra; nos irritamos con nuestros familiares al observar que no viven sus propias vidas como creemos que deberíamos vivir las nuestras y trabajamos de sol a sol sacrificando nuestro tiempo con la familia para afirmar constantemente que el dinero no es lo más importante. Así somos, vivimos contradictoriamente y olvidamos que el estado de las relaciones con nuestros seres queridos es lo que nos trae la máxima felicidad en la vida.

Vivimos sin revisar si la cámara está lista para fotografiar y cuando es tiempo de ver el fruto de nuestro esfuerzo nos damos cuenta que hemos ignorando lo básico, sin lo cual es imposible disfrutar cualquier cosa: el estado de nuestro ser interior. Tener un alma sana es como traer el rollo bien colocado. Cada momento de gozo se vuelve demasiado pasajero para un alma atrapada en el rencor, tristeza, inseguridad, coraje y demás emociones que nos roban la paz. Es por esto que encontramos personas que, a pesar de contar con todo lo que asociamos con felicidad, viven en desdicha y desilusión. Poseen una autoestima baja que les impide desarrollarse ampliamente en sus relaciones sociales y de trabajo.

Necesitamos salud mental, física y espiritual para vivir mejor. Conocemos cómo mantener sano nuestro cuerpo pero muy poco se nos ha enseñado acerca de qué hacer para alimentar y sanar nuestra parte emocional y afectiva. Este estudio le enseñará a hacerlo consigo mismo y con sus seres queridos. También parte del propósito del libro es recordarnos lo principal de la vida para darle el lugar que le corresponde, así como proveer ideas prácticas para manejar bien esas prioridades.

A lo largo de nuestra existencia, como decíamos anteriormente, cuidamos muchos detalles: los muebles de la casa, la categoría de la escuela de los hijos, el saldo de la cuenta bancaria, el estado de nuestra ropa, tener vacaciones de categoría, la imagen del negocio, la pintura del automóvil, el color de las cortinas, nuestra apariencia física, etc. Y todo esto tiene importancia; pero no es fundamental. Así como di por hecho que las fotos saldrían bien porque el rollo estaba dentro de la cámara, creemos que seremos felices porque tenemos vida. Esta lectura es una invitación a revisar que la película avance para que cuando la revelemos obtengamos unas fotografías hermosas para recordar, disfrutar y compartir.

Capítulo 1

Nuestra naturaleza

"No somos seres terrenales con experiencias
espirituales, somos seres espirituales
viviendo una experiencia terrenal."
—TEILHARD DE CHARDIN

¿*L*e ha sucedido que escoge un regalo especial para un amigo o familiar y posteriormente descubre que no le gustó? ¿Ha creído saber lo que opina su pareja acerca de algún tema para después descubrir que piensa totalmente distinto? Cuando creemos saber todo sobre alguien aprendemos que todavía nos queda mucho por conocerle. Definitivamente no es fácil comprender a la gente, incluidos nosotros mismos. Somos la variable más grande de toda la creación. Antes de identificar nuestro estado emocional y anímico, así como las causas del mismo, es indispensable conocer cómo funcionamos los seres humanos. Necesitamos entender mejor cómo estamos formados para entonces mejorar nuestro estado emocional y desarrollar relaciones más estables y satisfactorias.

Conocernos es una tarea permanente, individual y necesaria. Para facilitar este proceso debemos considerar diferentes áreas de nuestra vida e identificar cómo nos desenvolvemos y desarrollamos en cada una de ellas. Dependiendo de a qué autor, corriente filosófica, o doctrina religiosa recurramos, encontraremos diferentes maneras de segmentar al ser humano. Para hacerlo sencillo agruparé el "ser" y "hacer" del hombre en tres dimensiones: Trascendental (espíritu), Racional-emocional (alma) y Física (cuerpo). Estas tres zonas están interrelacionadas en una permanente danza interior que brinda vida, originalidad e individualidad a cada persona. En la realidad no podemos separarlas, pues somos un ser integral, una sola pieza, un todo. No es posible dividir al individuo en pedazos independientes como si al actuar a nivel espiritual no afectáramos al resto de nuestro ser.

Es gracias a esta interdependencia que comprendemos por qué una tristeza profunda (alma) afecta nuestro organismo (cuerpo) quitándonos el sueño y las ganas de comer; o por qué en ocasiones la oración (espiritual) produce sanidad física. ¿Le ha sucedido que cuando se siente un poco mal y le hace caso a su malestar quedándose en cama, su estado físico empeora? O por el contrario, ¿que a pesar de no sentirse bien ignora el malestar y éste se reduce? Esto es otra muestra de lo interdependientes que son nuestras tres áreas básicas.

En cuanto al espíritu, ¿ha experimentado paz mental y física después de un tiempo de oración? ¿O de escuchar e interpretar algún canto espiritual, o leer con fe un fragmento de las Escrituras? Bajo esta perspectiva podemos comprender por qué hay gente que sana físicamente o tiene una recuperación más rápida si practica la oración. Sobre este tema hay investigaciones muy interesantes que lo demuestran. Tal es el caso de varios estudios realizados por instituciones tan serias como la Facultad de Medicina de la Universidad Dartmouth y las universidades de Duke y Georgetown, entre otras. En estos ejemplos las actividades espirituales influyen positivamente en nuestro cuerpo y alma, no sólo en el espíritu.

Cada dimensión del ser humano posee una estructura propia y diferentes maneras de alimentarse o debilitarse. Por lo mismo es indispensable invertir en cada una de ellas. Debemos ejercitarlas y nutrirlas constantemente para experimentar un desarrollo integral de nuestro ser. Además necesitamos aprender a curarlas cuando se encuentren enfermas, ya que en ello radica que vivamos una vida sana, en el sentido más amplio del término.

El Cuerpo (área física)

El cuerpo contiene el ser físico en su totalidad, órganos externos e internos: manos, ojos, intestinos, cabello, páncreas, uñas, piel, etc. Esta es la dimensión de nuestro ser con la que estamos más familiarizados y de la que tenemos más información. La ciencia ha estudiado a fondo nuestra anatomía al grado que contamos con especialistas en los diferentes sistemas del cuerpo como el digestivo, circulatorio, respiratorio, etc. Incluso existen sub especialidades para estudiar y sanar órganos específicos.

Prácticamente para cualquier persona es normal solicitar asesoría médica; nadie se sorprende al escuchar que un familiar o amigo asistió al médico para solucionar un problema de su cuerpo; sin embargo, muchos se desconciertan tan sólo de pensar en solicitar ayuda para resolver un problema del alma o del espíritu, incluso hay quienes ignoran que esta posibilidad existe. De las tres dimensiones del ser, el área física suele ser la que más atendemos, a pesar de que, tristemente, mucha gente no cuida su salud.

Necesidades básicas del cuerpo

El cuerpo, al igual que las otras dos dimensiones humanas, posee necesidades básicas que deben suplirse para que su crecimiento y funcionamiento sea el adecuado. Nuestro cuerpo es una maquinaria viva que, como toda herramienta, requiere mantenimiento constante para su funcionamiento efectivo.

La salud física depende de satisfacer requisitos primarios como alimentación, abrigo, ejercicio y descanso. Quien no se alimenta bien carecerá de la energía necesaria para desarrollar plenamente las dimensiones física e intelectual. Tanto el bebé como el joven y el anciano requieren cubrir sus necesidades básicas para vivir saludablemente. En las diferentes etapas de la vida se modifica la manera de satisfacer esas necesidades, pero éstas perduran hasta la muerte. ¿Conoce a alguien que ya no requiera alimentarse porque pasó de los setenta años de edad? ¿O que no deba ejercitar su cuerpo para mantenerlo activo porque ya hizo ejercicio durante los últimos doce años de su vida? Por supuesto que no, ya que todas las necesidades del ser humano, incluyendo las físicas, son permanentes.

El cuerpo es el instrumento que poseemos para poner los pensamientos en acción, para desplazarnos y convertir en realidad las emociones e ideas que generamos. También es el medio por el cual captamos toda la información que surge del medio ambiente y de las demás personas. Es a través de los cinco sentidos que percibimos la realidad y todo lo que nos rodea. En este sentido podemos afirmar que nuestro organismo es la herramienta única e irremplazable que poseemos para movernos y comunicarnos con los demás. Aunque el sentido común nos dice que debemos cuidar nuestro cuerpo, mucha gente no lo hace, arriesgando su instrumento más importante para vivir, la salud.

Una noche como cualquiera, cuando tenía 30 años de edad, desperté en la madrugada con un fuerte dolor en el pecho. Durante unos minutos pensé que el malestar pasaría, pero por el contrario, cada vez era más fuerte. Después de un cateterismo y dos angioplastías, mi corazón volvió a recibir la irrigación suficiente para trabajar normalmente. Me había salvado de morir. En esos días aprendí que cuidar la salud no es un lujo, sino una necesidad. Reflexionando sobre esto concluí que la razón principal de mi crisis fue ignorar las recomendaciones que había escuchado sobre el cuidado de la salud y actuar exactamente de la manera contraria.

Le invito a reflexionar a conciencia sobre el cuidado de su cuerpo, pero no se limite al análisis, actúe, modifique sus hábitos alimenticios a partir de hoy. Tal vez debe empezar visitando a su médico para que le haga un estudio general, además usted conoce perfectamente qué cosas debe comer y cuáles debe omitir en su dieta. Reduzca radicalmente su consumo de grasas y alimentos que la contengan, cocine utilizando aceite de oliva, aumente considerablemente su consumo de frutas y verduras, disminuya su ingesta de azúcares y carbohidratos (pan, tortilla, pastas, arroz, frijoles, patatas, etc.), evite los desórdenes en el horario y frecuencia de sus comidas.

Una gran ayuda es consultar a un especialista como el nutricionista y leer regularmente sobre alimentación. Realmente es algo en lo que vale la pena meter su dinero, pues está invirtiendo en su principal activo, usted mismo. Además, al cambiar su dieta diaria beneficiará a toda la familia y en especial a sus hijos, ya que además de mejor salud adquirirán el hábito de la buena alimentación. Recuerde que también debe practicar ejercicio regularmente. Las últimas investigaciones concluyen que no es necesario realizar actividades sumamente extenuantes para mantener al cuerpo en forma; caminatas diarias a buen paso durante treinta o cuarenta minutos son una manera excelente de brindarle mantenimiento físico a su milagrosa maquinaria viviente.

Aunque existe la idea generalizada que poner atención al cuerpo es caer en vanidad, debemos cuidar nuestro organismo sin confundir la salud con el *glamour* egocéntrico. Aunque no considero nocivo esmerarnos por tener una buena imagen, lo fundamental es cuidar nuestra salud. La realidad es que dependemos mucho de nuestro cuerpo, es la herramienta para movernos y comunicarnos, y por lo mismo debemos cuidarlo y mantenerlo en buen estado. Recordemos que las tres dimensiones de nuestro ser están interrelacionadas, y por lo mismo, un cuerpo enfermo es un obstáculo para el alma y en ocasiones, para el espíritu.

El alma (área racional-emocional)

Antes de describir el alma vale la pena mencionar que en la cultura occidental tenemos una idea muy poco definida acerca de lo que es. Cuando escuchamos esta palabra pensamos en cosas tan variadas como ánimo, cariño, amor, Dios, amistad, sentimientos, pasión, pensamientos, buen comportamiento, altruismo y muchas más. Para saber de qué estamos hablando debemos definir su significado. No es mi intención instituir un concepto del alma único, nuevo o definitivo. Lo que pretendo es que cuando se mencione la palabra "alma" a lo largo de este libro, tengamos la misma idea en mente.

Para empezar podemos reconocer que hemos confundido durante siglos el alma con el espíritu. Las utilizamos como si fueran sinónimos, hacemos comentarios como: "esa película, me llegó hasta el alma, es muy espiritual", o "esa música es espiritual", pensamos que alma y espíritu describen la misma parte de nuestro ser pero en realidad no es así. En las sociedades orientales no sucede lo mismo.

El ejemplo de Oriente

Piense en un país oriental, en cualquiera de ellos: Japón, China, India, Corea, etc., ¿Qué se imagina?, ¿qué tipo de ambiente viene a su mente? Probablemente además de pensar en arroz, ojos rasgados, pagodas y dragones, haya reproducido un ambiente místico, esotérico, algo espiritual, ¿cierto? La mayoría identificamos a los países orientales como culturas con un alto contenido metafísico. Esto se debe a que allá, incluyendo el oriente medio, la gente, o una buena parte de ella, es enseñada desde su niñez en el área espiritual, crecen sabiendo la diferencia entre alma y espíritu, pues como he afirmado reiteradamente, no son lo mismo.

Seguramente ha visto películas como "Gandhi", "Ana y el Rey", "Dersu Uzala", "Pasaje a la India", "Rapsodia de otoño", o cualquier otra en la que se enfrentan las culturas oriental y occidental. A lo largo de sus historias observamos las maneras tan distintas en las que los habitantes de ambas culturas percibimos la realidad. Una de las diferencias es la concepción que ellos manejan de la dimensión espiritual del ser. Para las personas de esas naciones no resulta extraño que alguien sane por medio de la oración o que fortalezca su ser mediante el ayuno. Tampoco debemos engañarnos idealizando la religiosidad de oriente, ya que al igual que en occidente existen quienes simplemente se limitan a cumplir con las tradiciones de su iglesia olvidándose de la dimensión espiritual. En otras palabras hay personas religiosas pero no espirituales, pues el espíritu no depende de la cultura, la afecta y se ve afectado por ella, pero la trasciende. Por lo pronto veamos qué es el alma para posteriormente estudiar al espíritu y comprender mejor la diferencia.

Para describirla de una manera sencilla y práctica podemos decir que el alma es la dimensión humana en la que se conjugan tres factores fundamentales: la razón o capacidad cognoscitiva, los sentimientos o capacidad emotiva y la voluntad; es decir, sentimientos, pensamientos y libertad de decidir. Esta conjunción es la que permite que la vida tenga sabor y que los escritores de novelas posean suficientes relatos para entretener a los lectores, ya que el eterno dilema del ser humano descansa en el encuentro entre las ideas y los sentimientos.

Con frecuencia nuestra alma entra en conflicto por el choque que se da entre lo que pensamos y lo que sentimos. Por ejemplo, cuando una señorita es cortejada por dos jóvenes a la vez, su entusiasmo (capacidad emotiva) puede motivarla hacia uno de ellos mientras que la razón (capacidad racional) le inclina hacia el otro. En su interior se ha desatado una pequeña guerra que la hace reconocer que mientras uno le gusta, pero no le conviene, el otro le conviene, pero no le gusta. Razón y emoción encontrados, ¿a quién de los dos debe elegir? Los partidarios del racionalismo afirmarían tajantes que al segundo, puesto que le conviene. Por su parte los más emocionales, tenderán a escoger al joven que despierta los sentimientos de la chica aunque no le sea tan conveniente, ya que para ellos lo importante es disfrutar el presente. Seguramente también hay quienes piensan que ella debe esperar por una nueva opción que satisfaga tanto al cerebro como al corazón.

La realidad es que hay demasiados factores que influirán en la decisión de la afortunada jovencita: su pasado, prioridades, valores, relaciones familiares y por supuesto, la habilidad de ambos galanes para conquistarla. Finalmente rendirá su voluntad hacia la fría, y muchas veces fructífera lógica o hacia la sensación de nervio, ternura y pasión que experimenta ante la presencia del primer joven. Aquí ha entrado en escena el tercer elemento del alma, la voluntad, ya que es a través de ella que decidimos a quién obedecer, a la razón o a las emociones. La voluntad es el mediador de nuestra alma, quien define cómo actuar en situaciones en las que dudamos sobre qué hacer. Es quien inclina la balanza hacia el ser (lo que deseamos o sentimos) o el deber ser (lo que creemos que es correcto)

El dilema de Héctor

Héctor es un hombre de negocios que se ha forjado buena reputación en su medio laboral gracias a su integridad y rectitud. Supongamos que este empresario atraviesa por una etapa en la que sus negocios no prosperan y experimenta una crisis financiera. Casi sin esperarlo se encuentra con ingresos insuficientes para pagar las cuotas de la escuela a la que asisten sus hijos. Recurrió a su tarjeta de crédito para comprar víveres e incluso para disponer de dinero en efectivo, por lo que cada vez es más lo que le cobran por intereses. Por otra parte, sus empresas no parecen prosperar y el saldo de su chequera disminuye a la velocidad de la luz. Para colmo se ha retrasado en el pago de sus impuestos y el Departamento de Impuestos le ha visitado para realizar una auditoría fiscal.

En medio de estas pésimas circunstancias surge una excelente oportunidad: un amigo de su socio ha sido asignado al departamento de compras de una institución gubernamental y está dispuesto a que se conviertan en sus principales proveedores de insumos. El conflicto estriba en que para compensar la preferencia deben otorgar al funcionario una "gratificación" extraoficial equivalente al diez por ciento de cada pedido. Su socio, sumamente emocionado, le comenta que a pesar de la cantidad que "ofrendarán" a su benefactor obtendrán excelentes utilidades.

Héctor calcula que si hace el negocio en tres meses saldaría sus deudas. A partir de ese momento inicia una batalla interior con su conciencia. Por una parte cree que obtener ganancias mediante un acto de corrupción es incorrecto y por otra quiere tener el dinero. Empieza la lucha en el alma: "todos lo hacen"; "el hecho de que todos lo hagan no significa que sea correcto"; "no participes de un acto de corrupción"; "así funciona el sistema"; "no derribes el prestigio que has levantado en tantos años"; "si no hacen ese negocio conmigo, lo harán con alguien más"; "sé congruente con tus convicciones"; "puedo hacerlo solamente para salir de las deudas y luego no participar más"; "actuar así es ilegal e incluso un pecado"; "mi socio puede ofenderse si no lo apoyo".

Menudo dilema en el que se encuentra Héctor, ¿cierto? Mientras analiza sus alternativas experimenta diferentes sensaciones que le roban la paz y le llenan de angustia. Lo que él está viviendo es un conflicto del alma, el cual resolverá mediante una decisión utilizando su voluntad. Así, razón, emociones y voluntad se enfrascan en una danza que culminará en lo que el ser, Héctor, resuelva hacer. Puede obtener dinero rápido y actuar en contra de sus propias creencias o renunciar a la propuesta y ser íntegro, continuando su problema financiero.

Como vimos en la historia anterior, no todos los conflictos del alma se dan entre emociones y razón. En el caso de Héctor su dilema radicaba en razonamientos y convicciones. Las emociones surgían como consecuencia de sus pensamientos, pero no eran la base del problema. Funcionaban como indicador mostrando a Héctor qué decisiones le hacían sentir incómodo y cuáles le producían una sensación de paz. Para quienes no estamos envueltos en el dilema la solución parece muy sencilla, si quiere actuar éticamente Héctor debe rechazar esa oferta, pero cuando nosotros somos los protagonistas la respuesta no parece tan fácil. Por eso cuando enfrentamos un conflicto del alma es de gran ayuda dialogar con alguien ajeno a la situación, un amigo, familiar o consejero.

En resumen

Simplificando podemos resumir que *el alma es la parte del ser que conjuga las emociones y pensamientos bajo el arbitraje de la voluntad.* Es en ella donde se desencadenan las guerras del corazón y generan las grandes teorías científicas. Es ahí donde la música surge para plasmar en notas invisibles emociones y experiencias; donde se forma y fortalece la autoestima de la persona y radica la capacidad individual para relacionarnos con nuestros semejantes. También es en el alma donde la amargura hace nido y el perdón sana. Sin embargo el alma no es lo que *somos*, es lo que *aprendemos*, lo que experimentamos, nuestra percepción de la realidad e incluso de la irrealidad. Es la manera en que vemos la vida con base en lo que aprendimos en casa, la escuela, la iglesia y con los amigos. Lo que «somos" en un sentido real y filosófico tiene más que ver con el espíritu que con el alma, aunque obviamente, no la excluye.

A continuación analizaremos con más detalle el nivel espiritual, lo cual seguramente clarificará más la diferencia entre alma y espíritu. Por el momento no expondré las necesidades básicas del alma puesto que les dedicaremos un capítulo completo más adelante.

El espíritu (área trascendente)

El espíritu es lo que la persona es, su verdadera naturaleza. No se adquiere, ni aprende, es lo que somos. Si usted hubiera nacido en otra familia o época sus conocimientos, educación y creencias serían distintas a las que tiene ahora. Su alma, cultura y nombre serían otros, pero continuaría siendo usted. A lo largo de la vida cambiamos nuestras creencias pero somos el mismo ser humano. Somos seres espirituales independientemente del tipo de estudios, cuerpo y nombre que tengamos. Para comprenderlo mejor veamos lo que sucede con el alma, cuerpo y espíritu cuando morimos.

Cuando un ser humano fallece deja de serlo para convertirse en simple y pura materia. Al suceder esto el cerebro y los cinco sentidos (vista, oído, gusto, tacto y olfato) dejan de percibir. Por lo mismo la persona ya no puede experimentar emociones, producir pensamientos y tomar decisiones. El alma ha muerto. Con el paso del tiempo el cuerpo se va desintegrando para formar parte de la naturaleza o termina convertido en cenizas que honrosamente esparcirán nuestros familiares en el mar o la montaña que más nos gustaba visitar.

Ante esta aplastante realidad en la que el cuerpo y alma dejan de existir, surge la pregunta: ¿cuál es esa parte de nosotros que creemos que sigue viva? La respuesta es sencilla: el espíritu. Eso es lo que realmente somos, lo que nos hace únicos, distintos a todos los demás y valiosos por el simple hecho de existir. No somos solamente lo que sabemos y hemos aprendido a lo largo de la vida, eso es experiencia y conocimiento. Somos espíritu. Tampoco somos únicamente materia. Somos espíritu. Si alguien es mutilado en una parte de su cuerpo no se convierte en menos persona. Ha cambiado su apariencia pero no su espíritu.

La imagen y semejanza con Dios

Esta forma de ver al ser humano me permitió comprender una de las grandes dudas de mi infancia y juventud. En las clases de catecismo se me enseñó que somos imagen y semejanza de Dios. Esto despertó en mi la inquietud acerca de si Dios era hombre o mujer, porque si todos habíamos sido formados a su imagen, ¿por qué mis hermanas eran físicamente diferentes a mí? ¿No era cierto entonces que tanto hombres como mujeres somos semejantes a Dios? ¿Cuál de los dos sexos es realmente un reflejo del Todopoderoso? Cuando de niño pregunté a las catequistas cuál era el sexo de Dios, obtuve como respuesta un "no preguntes tonterías".

Por años dejé esa cuestión archivada en mi interior hasta que comprendí que ambos sexos somos imagen y semejanza de Dios, ya que los dos somos espíritu y Dios es espíritu. Es en el nivel espiritual donde radica nuestro parecido con él. Es allí mismo donde se encuentran las verdaderas similitudes de naturaleza entre los seres humanos de diferentes razas, credos y culturas. Espero que mis maestras de doctrina hayan resuelto esa duda antes que yo para que la aclararan a otros niños y niñas inquietos.

No todo lo espiritual es bueno

Ser espirituales no significa ser buenas personas. Tendemos a creer que porque algo es espiritual es moralmente bueno, pero no es así. Tal y como podemos tener en nuestra alma pensamientos buenos y malos o sentimientos nobles y destructivos, de igual manera tenemos la capacidad de desarrollar nuestro espíritu en el bien o en el mal. Lo que quiero dejar claro es que vivir o desarrollar lo espiritual no es un propósito noble, sino un estado natural del ser humano. De hecho es la verdadera naturaleza de las personas, pero la hemos dejado de lado por siglos. Tanto el verdadero brujo o chamán como el sacerdote o pastor que realizan sanidades mediante la oración, se mueven en dimensiones espirituales. Sólo que los primeros no operan bajo la misma fuente de poder "sobrenatural" que los segundos. Por supuesto que mi propuesta y deseo es que desarrollemos nuestro espíritu en aras de nuestro bien y del de nuestros semejantes. Sin embargo debe quedarnos claro que ser espirituales no implica ser moralmente buenos, sino simplemente muestra una de las dimensiones en la naturaleza del ser humano.

Necesitamos reconocer que como personas y como cultura somos desnutridos espirituales. Muchos ni siquiera sabíamos que tenemos esta dimensión. Desconocíamos su importancia e ignorábamos que debe ser alimentada y ejercitada para que alcance su desarrollo pleno. La dimensión espiritual ni siquiera debería considerarse sobrenatural, ya que es natural. Es una parte común y esencial de cualquier persona. El hecho de que sea poco comprendida, enseñada y desarrollada, no le resta naturalidad sino familiaridad. Ignorar esta capacidad humana nos quita la posibilidad de disfrutar los beneficios de la vida espiritual.

Necesidades básicas del espíritu

Las necesidades básicas del espíritu están directamente relacionadas con lo divino. Nuestro ser posee un anhelo profundo por encontrarse con esa fuente eterna y trascendente que nos completa, tranquiliza y ubica en la dimensión correcta. Cuando lo hacemos alcanzamos una forma de vida más equilibrada. En nuestro interior tenemos un vacío del tamaño de Dios y sólo Él lo puede llenar. El espíritu es la parte de nuestro ser que nos permite establecer una relación directa con Dios.

Al hablar de un encuentro con Dios no me refiero a incrementar la participación en las actividades religiosas de su iglesia, cualquiera que ésta sea. Limitar a Dios a la religión es uno de los principales obstáculos para establecer comunión con Él. Prácticamente todas se concentran en el cumplimiento de sus propios ritos y tradiciones. Olvidan que lo importante es mostrar el camino para que cada individuo recorra el puente que le une a Dios. Es en esta relación personal donde se encuentra la satisfacción de las necesidades del espíritu.

Seguramente conoce gente que a pesar de ser religiosa continúa con ese vacío interior reflejado en su forma de vida y nivel de felicidad personal. También sabemos de personas menos religiosas con una vida ejemplar espiritualmente. La relación personal con Dios puede desarrollarse dentro de la religión, fuera de ella o a pesar de la misma. Dios no es religión ni propiedad privada de ella. Si usted practica una religión le felicito. Pero recuerde que su espíritu no necesita una religión, sino una comunión diaria con Dios. Para establecer esta relación y satisfacer las necesidades espirituales básicas existen la oración, la lectura de materiales espirituales como la Biblia y participar en estudios alusivos a lo mismo.

La oración

La oración brinda crecimiento espiritual porque es comunicación con Dios. Con orar me refiero a hablar con Dios como lo haría con cualquier persona. Contarle lo que hay en su interior, sus problemas y anhelos. Tome tiempos especiales para hacerlo, no importa si estos son breves, pero hágalo. También puede practicar la oración mientras conduce su automóvil, toma una ducha o realiza algunas labores como cocinar o hacer ejercicio.

Si a usted le agrada repetir rezos u oraciones escritas, le sugiero que dé un paso más en su crecimiento espiritual e inicie su camino en la oración personal. Quizá al principio sienta extraño por hablar "solo". Pero si se mantiene orando y lo realiza constantemente, descubrirá cómo ese aparente monólogo se transforma en una conversación espiritual que le enriquecerá profundamente y le guiará en sus decisiones diarias. Me gustaría mostrarle una receta infalible y segura, pero no la hay. Lo que sí puedo afirmarle es que si se atreve a recorrer este camino experimentará el poder y paz interiores que surgen de la relación con Dios.

Un parámetro para la oración eficaz es el modelo que Jesucristo enseñó a sus discípulos. Esta instrucción, que ahora conocemos como el Padre Nuestro, se encuentra registrada en el capítulo seis del evangelio según San Mateo. En ella Jesús muestra que la oración debe ser dirigida al Padre. También afirma que debemos agradecerle por lo que tenemos, así como exponer nuestras necesidades materiales, emocionales y espirituales. Jesús mostró a sus seguidores que la oración consistía en una conversación entre padre e hijo. La clave de la oración radica en exponer a Dios clara y transparentemente lo que hay en nuestro corazón para pedir ayuda y agradecerle su cercanía. Como toda conversación, la oración exige un tiempo para hablar y otro de silencio para escuchar.

Destine un tiempo de su día para charlar con Dios. No importa si el tiempo es corto, pero hágalo. Toda relación se fortalece y sostiene por la frecuencia y sinceridad de cada encuentro. A mayor contacto, mayor confianza. Al aumentar la confianza crece la intimidad y cuando la relación es íntima se da el verdadero conocimiento del otro. La oración no requiere solemnidad, sino sinceridad. Además de nuestro tiempo especial de diálogo con Dios, podemos orar mientras hacemos otras actividades, tal como lo haríamos con una persona que estimamos y nos acompaña durante el día. Practique la oración, converse con Dios. Él está a una oración de distancia.

Leer las Escrituras

La Biblia es una referencia permanente de los grandes escritores y pensadores. En ella están contenidas verdades eternas para la vida del ser humano. Quienes la leen regularmente crecen en sabiduría y abren un sólido puente entre su alma y espíritu. Por este puente empieza a fluir información que permite renovar el pensamiento y fortalecer nuestra área trascendente. Una persona con un alma ignorante, yerra; pero un individuo con un espíritu ignorante, muere. Estudiar las escrituras es acabar con la ignorancia espiritual. Nos lleva de las sombras a la luz. Brinda vida espiritual a nuestro ser.

Muchos creen que es difícil leer la Biblia. Afirman que su contenido es confuso, simbólico y de riesgosa interpretación. He descubierto que quienes piensan así no la han leído y hacen caso de comentarios de otros que tampoco lo han hecho. No se complique la vida. Inicie su lectura con uno de los evangelios, el libro de Proverbios y los Salmos. Estos son libros sencillos y de gran profundidad. Los Salmos muestran una relación con Dios. Proverbios enseña cómo relacionarnos con nuestros semejantes y el evangelio ofrece el conocimiento de Jesucristo. Un capítulo diario de esta poderosa combinación es una bomba vitamínica para el espíritu.

En una entrevista al notable escritor Mark Twain, le preguntaron su opinión sobre los contenidos oscuros de la Biblia. El autor, hombre creyente, respondió con sabiduría: "No me inquietan las partes de la Biblia que no he entendido. Me preocupan aquéllas que ya entendí y no he puesto por obra".

Congregarse

Como comenté anteriormente, otra manera de fortalecer el espíritu es reunirse con personas que caminen la misma senda, y si es posible que tengan más terreno recorrido. Considere que sus compañeros de aprendizaje y maestros partan de una fuente espiritual probada y fidedigna como lo es la Biblia y no de sus propias deducciones. También cuídese de enseñanzas y tradiciones establecidas por otros hombres, sin importar que tan eminentes o populares sean. Éstas solamente le guiarán a la práctica de una religión, lo cual, aunque puede ser útil, suele funcionar como un sustituto de la relación con Dios. El riesgo de la religión es creer que porque respetamos normas y costumbres ya "cumplimos" con Dios. Cuando esto sucede olvidamos que lo importante es una verdadera comunión con Él.

Antes de reunirse en algún lugar o iglesia tome las precauciones debidas. No todo lo espiritual es bueno y no distinguir la diferencia es como ingerir comida chatarra pensando que es lo más saludable. En lo espiritual las consecuencias pueden ser mayores que en la dimensión física. Lea la Biblia y tome parámetros de allí para identificar lo conveniente e inconveniente, espiritualmente hablando. Una manera alternativa de tener crecimiento espiritual es realizar reuniones en casa. Invite a su hogar a personas deseosas de crecer espiritualmente. Hagan de esto un evento semanal en un horario accesible para la mayoría. Lean las escrituras, aporten sus comentarios al respecto y tomen un tiempo para orar los unos por los otros. Permita a cada cual que participe con sus comentarios y establezcan como parámetro lo que dicen las Escrituras.

Gaby y yo recibimos semanalmente en casa un grupo de personas que ahora son nuestros amigos. El propósito es alimentarnos espiritualmente y tratar de poner en práctica lo que aprendemos de la Biblia. Esta ha sido una excelente manera de disciplinarnos para estudiar los textos sagrados. Allí asisten personas de diferentes denominaciones religiosas. El principal interés de quienes nos reunimos es conocer más de Dios para mejorar nuestra relación individual con Él. Ha sido hermoso ver cómo, a pesar de asistir a diferentes templos, no hay ofensas de unos a otros. Por el contrario, se crean lazos de afecto y compañerismo. Usted puede hacer lo mismo en su hogar.

Profundizar en el tema espiritual es muy interesante y relevante, pero no es el tópico central del libro. Recordemos que nuestra naturaleza espiritual es una realidad de la vida diaria. No confundamos ni limitemos lo trascendente a la religión. Somos espíritu. Esa es nuestra naturaleza y debemos desarrollarla. Al crecer espiritualmente alcanzamos un estado de plenitud que proporciona la satisfacción y paz que tanto anhelamos.

En pocas palabras

Una vez que identificamos las tres áreas de nuestro ser contamos con un mayor y más específico conocimiento de lo que somos y de las fuerzas que actúan sobre nosotros.

Cada una de estas dimensiones requiere ser alimentada adecuadamente para que su pleno desarrollo sea alcanzado y experimentemos una felicidad integral, una mejor manera de vivir. Recordemos que la división que he hecho es meramente didáctica. En la vida real nuestro ser es indivisible. Lo que sucede en cada área de la vida tiene que ver con las otras dos, están comunicadas entres sí y son interdependientes.

Podemos sintetizar las explicaciones anteriores con la frase: *Somos* un espíritu, *con* un alma, *en* un cuerpo. Deténgase a reflexionar esta afirmación. Piénsela y medite al respecto. Usted y yo somos seres espirituales. El cuerpo y alma son instrumentos físicos, emocionales y mentales para que nuestro ser verdadero se manifieste y relacione con los semejantes. En términos informáticos tenemos un *hardware* (cuerpo) y un programa o "*software*" (alma); pero a diferencia de los ordenadores o computadoras, contamos con el espíritu.

Capítulo 2

La importancia del alma

"Sobre toda cosa guardada;
guarda tu corazón,
porque de él mana la vida."

—Salomón

$\mathcal{E}$l estado de nuestra alma es sumamente importante ya que determina en mucho nuestra convivencia con los demás. Es en el alma donde poseemos las habilidades de interacción y comunicación con los semejantes Allí descansa el parámetro social de salud mental. Las personas somos consideradas mentalmente sanas y estables si al convivir con los semejantes cumplimos ciertos parámetros de comportamiento.

Enseñamos a los hijos a cumplir protocolos de cordialidad para que sean aceptados. Insistimos en que saluden a la gente cuando llegan a un lugar; que se despidan con un apretón de manos, un beso en la mejilla, etc. Si un pequeño o pequeña no cumple constantemente con estos requisitos comentamos que es un mal educado. Si esa actitud continúa en su juventud y estado adulto lo catalogamos como desadaptado social y cuestionamos su estabilidad mental y emocional.

De igual manera quien constantemente tiene diferencias y problemas con las personas que trata es juzgado como alguien "conflictivo". Pensamos que algo anda mal en su persona. Los conflictos de convivencia se deben generalmente a diferencias en las maneras de ver la vida y a la inmadurez de la gente para identificar y manejar las emociones propias y ajenas. Es por esto que el estado del alma afecta la estabilidad y calidad de las relaciones. A quien tiene un alma lastimada se le dificulta desarrollar relaciones sanas, estables y permanentes. Al igual que el organismo, el alma se enferma fácilmente cuando no está bien alimentada. Cada herida del alma que no es sanada afecta el presente y futuro de la persona.

Las dificultades de Javier

Javier tenía problemas cuando hacía negocios. Su contrariedad era que al hablar con algunos clientes o proveedores se sentía inseguro. Varias veces aceptó condiciones que no le convenían. A pesar de no querer hacerlo, cedía. Era como si tuviera miedo de no ser aceptado por esas personas. Después de un tiempo identificó que esto pasaba principalmente con hombres que tenía barba o un bigote abundante. La relación de Javier con su padre durante su infancia y juventud había sido difícil. A su parecer no había satisfecho las expectativas que su progenitor tenía sobre él. Su papá, un hombre duro, portaba una barba y bigotes abundantes. La asociación era sencilla. Cuando Javier trataba a personas que le recordaban a su padre, trataba de ganarse su reconocimiento. Para obtenerlo estaba dispuesto a sacrificar su propio beneficio.

Lo que quiero enfatizar es que las experiencias del pasado, junto con la manera de percibir la vida, determinan en gran medida cómo son las relaciones actuales. Esto no quiere decir que estamos determinados a vivir así por el resto de nuestra existencia. Por supuesto que no. Las personas podemos cambiar. Siempre podemos hacerlo. Por eso existen psicoterapeutas, psicólogos, consejeros y libros de auto ayuda como éste.

En otras palabras, muchos de los conflictos con el cónyuge, hijos, padres, compañeros de trabajo, amigos, enemigos, familiares y jefes, son resultado del estado actual de nuestra alma. Una persona que fue lastimada durante su infancia por alguien importante para él, suele tener más problemas para establecer relaciones sanas en sus etapas juvenil, adulta e incluso durante su vejez. Pensemos en gente que a lo largo de su vida se ha auto castigado con relaciones en las que siempre resulta víctima. Establece codependencias y se erige como mártir o redentor de alguien. Este *rol* tal vez le haga sentir bien al generar el reconocimiento o lástima de algunos amigos y familiares. El problema es que su martirio no le permite ser feliz.

El problema de Susana

Al concluir un seminario sobre autoestima se acercó a conversar conmigo Susana, una mujer de aproximadamente 35 a 40 años de edad. Notablemente tocada en su interior por la sesión que acabábamos de tener me comentó el problema que vivía con Mario, uno de sus hijos:

Mario era bastante expresivo y amoroso con ella. Constantemente se acercaba para abrazarle y mostrarle su afecto. El problema era que eso incomodaba a Susana. Obviamente se sentía culpable por ello. No comprendía por qué rechazaba al hijo que amaba. Incluso cuando Mario le abrazaba o brindaba palabras de cariño, ella le evitaba y repelía. Le decía frases como: "no seas latoso", "déjame en paz", "no me estés molestando", etc. Angustiada afirmaba saber que eso estaba muy mal, sin embargo era lo que realmente sentía en su interior. Como contraste no experimentaba esa sensación con sus otros dos hijos.

Durante la conversación descubrimos una de las principales causas del problema. Cuando Susana estaba embarazada de Mario su marido la abandonó para después divorciarse de ella. En su interior asociaba el rechazo de su marido con el hijo que venía. Mario no sólo llegaba en un momento sumamente inoportuno, sino que le recordaba al hombre que amaba y acaba de rechazarle. El bebé se convirtió en un símbolo de la repulsa de su marido y por lo tanto, temía recibir y dar cariño a quien representaba traición, abandono, dolor y falta de reciprocidad emocional. No se permitía recibir expresiones de amor por miedo a abrir su corazón (tal como lo hizo con su esposo) y correr el riesgo de ser rechazada y abandonada una vez más.

Las relaciones pasadas influyen en las actuales

Las raíces del pasado afectan las relaciones actuales. En algunas parejas esto se manifiesta con una vida sexual insatisfactoria. También es común que se dificulte conversar abiertamente sobre temas íntimos y desacuerdos. De igual manera vemos como crecen jóvenes y jovencitas con el temor de hablar temas importantes con sus padres. Como consecuencia se vuelven temerosos a expresar ante una autoridad (representada en maestros y jefes) su verdadera opinión sobre tópicos relevantes. Es tal el peso que tiene el estado del alma en nosotros que en ocasiones sufrimos estragos en las relaciones actuales debido a desavenencias con gente que ya murió o dejó de participar en nuestra vida.

A través de las consejerías he encontrado personas que cargan en su corazón con el fantasma de los padres ya fallecidos. Viven atadas al espectro del novio o novia de la adolescencia o de aquel familiar o vecino sin escrúpulos que les robó su inocencia. Y aunque estos individuos murieron hace tiempo o dejaron de figurar en la vida de los afectados, sus recuerdos estropean sus relaciones actuales. Incluso aquéllas que se dan con los seres más queridos.

Si esto pasa con personas que ya no aparecen en nuestra vida diaria, ¿que tanto más con aquellos con los que aún tenemos contacto y que nos dañaron en el pasado? Este desgaste emocional afecta la vida en general, ya que no daña solamente las relaciones, sino nuestra persona. Sin embargo debemos aceptar que también existe la contraparte. Las experiencias positivas del pasado fortalecen la autoestima del individuo y le facilitan establecer relaciones, afrontar adversidades, comunicarse más libremente y vivir de una manera más sana.

La sinceridad de Georgina

Georgina es una joven de 18 años que charló conmigo en un seminario sobre autoestima. A lo largo de nuestra conversación identifiqué su facilidad para expresarse y solicitar ayuda. Me contó lo que vivía a pesar de ser una situación incómoda y vergonzosa para ella. Georgina tenía la costumbre de hablar constantemente con sus papás. Les contaba todo aquello que era importante para ella. Tenían conversiones regulares sobre los problemas de la escuela y sus amigos. Incluso les habló respecto a su primera relación sexual. Les dijo que se sentía culpable y traicionada. Por un lado, consideraba que había actuado mal al involucrarse físicamente con un compañero de la escuela. Por otra parte, se sentía usada porque el jovencito había divulgado su encuentro entre los compañeros de clase. Ante su pena les abrió el corazón en busca de consuelo.

Los lazos que sus papás establecieron con ella durante su infancia habían generando confianza. Sabían escucharla y lo hacían frecuentemente. Gracias a esa fuerte relación Georgina tenía fortaleza para hablar algo tan delicado y personal con ellos. El apoyo de sus padres le ayudó a recuperarse más rápidamente de la herida emocional y moral que estaba experimentando. Además se atrevió a enfrentar cara a cara al jovencito. Le expresó su arrepentimiento por ese encuentro sexual y lo molesta que estaba con él por su falta de prudencia.

La calidad de relación que Georgina tenía en su hogar le hacía más sencillo relacionarse con otras personas y hablar

situaciones incómodas y personales. Si ella no tuviera parámetros de comunicación abierta y una relación sana con
sus papás, podría haber optado, como mucha gente lo hace,
por callar y "llevarse el pecado a la tumba". O lo comentaría
exclusivamente con quien no representara autoridad, como
una amiga cercana.

El alma puede hacernos felices

Las heridas del alma deterioran la autoestima y seguridad
personal. La buena noticia es que hemos sido creados con
un potencial auto regenerador del alma. Así como el organismo cuenta con un sistema restaurador a través de los
glóbulos blancos de la sangre, el alma posee un mecanismo
para fortalecer la autoestima y librarnos de los fantasmas y
espectros del pasado. Podemos recuperar la capacidad de
disfrutar de la gente y abrirnos nuevamente sin temor al rechazo. Es posible alcanzar mejores niveles de comunicación
y una vida más plena y feliz.

Aunque este libro no tiene por objetivo estudiar a fondo
la felicidad, comentaré que ésta descansa más en nuestra
manera de ver la realidad que en la realidad misma. Se
relaciona más con un acto de la voluntad que con un golpe
de suerte. La felicidad jamás debe depender de la situaciones que vivimos, de si estas son "buenas" o "malas". Por
supuesto que todos deseamos tener una vida con eventos
que nos favorezcan y reduzcan las posibilidades de dolor y
sufrimiento, pero la felicidad de todo hombre y mujer debe
surgir a pesar de las situaciones que viven. La dicha viene
por la manera en que respondemos a las circunstancias, no
por las circunstancias en sí.

A través de la razón y de nuestro estado emocional (el
alma) determinamos qué tan felices y satisfechos estamos
con nuestra forma de vida. Contrariamente a lo que la mayo-

ría supone, la felicidad humana no se encuentra en factores externos, sino en el interior de cada persona. Es por esto que existe gente contenta a pesar de tener carencias materiales y otras que aunque las poseen, viven insatisfechas. La felicidad está más relacionada con la forma de pensar y sentir que con circunstancias o eventos. Quien piensa que es feliz, lo es y quien se considera infeliz también lo es. Es por esto que el estado del alma humana es tan importante.

Reflexione seriamente sobre estas preguntas:

- ¿Es usted feliz?
- ¿Lo ha sido antes?
- ¿Su felicidad está relacionada con ciertos eventos pasajeros de su vida?
- ¿Cuándo ha sido feliz?
- ¿Vive feliz?
- ¿Vislumbra su futuro como uno agradable o áspero?
- ¿Se puede ser feliz permanentemente?

Quizá encontrará que ha sido más feliz de lo que pensaba, sólo que no se había detenido a analizarlo. Tal vez no disfrutaba su felicidad por estar ocupado en los "problemas" de todos los días. Las adversidades empañan el cristal de su existencia haciéndole creer que su vida son los problemas que enfrenta y no el placer de resolverlos y disfrutar el proceso. O tal vez descubra que ha tenido todo para ser feliz, pero cree profundamente que no lo ha sido a pesar de tener "la fortuna" de su lado.

Véase más feliz.

En una ocasión Gaby, mis hijas y yo visitamos a una familia muy querida por nosotros. Durante los días que estuvimos allí practicamos nuestro deporte favorito: conversar. En las charlas ellos constantemente hacían referencia a sus problemas y a la escasez económica en la que vivían. Desde mi punto de vista son una familia próspera en todos los sentidos, sólo que su manera de pensar no les permitía darse cuenta de ello. La manera en que veían su propia vida estaba nublada por los parámetros de la mercadotecnia y el consumismo. Se concentraban tanto en lo que no tenían que dejaron de apreciar lo que poseían.

Un día les di mi opinión al respecto. Enumeré varias de las cosas que poseen: una casa grande y hermosa con un patio gigantesco, por la que pagan una hipoteca muy barata; tres automóviles, que aunque ninguno es de modelo reciente, los tres funcionan. Su relación matrimonial y familiar es sólida y amigable. Él tiene un empleo estable, sus hijos asisten a una escuela privada y, con excepción de la hipoteca, no tienen deudas. Después de decirles esto y conversar sobre la importancia de cómo vemos las cosas y en qué concentramos nuestra atención, comprendieron que son una familia llena de bendiciones, incluso en lo económico.

¿Qué tal si hace una lista de lo que posee? No se limite a las cosas materiales, incluya intangibles como la salud, compañía, amigos, tranquilidad, etc. Tome en cuenta las preguntas sobre la felicidad que planteé anteriormente e identifique si posee motivos y hechos para ser feliz.

Al realizar reflexiones como ésta recurrimos a nuestros recuerdos, sentimientos, decisiones y relaciones personales. Todo ello es parte del alma. Por eso insisto que una persona con heridas en su mente y corazón es alguien que pone en riesgo lo importante de la vida, la felicidad que surge del contacto con quienes amamos.

Nuestra capacidad para apreciar y disfrutar lo que poseemos depende de la salud del alma. La actitud que tomamos ante la vida para responder a las circunstancias adversas también está sujeta a nuestra voluntad. Es este potencial racional-sentimental el que nos permite tomar conciencia que somos seres capaces de aprender, cambiar y disfrutar. Tenemos el poder para sanar las heridas adquiridas en el pasado. Podemos perdonar y amar a pesar de las circunstancias.

Somos almas necesitadas

Los requerimientos del alma poseen una característica especial que los hace diferentes de los del espíritu y cuerpo: sólo pueden ser saciados a través del contacto con los demás. Para calmar los deseos de alimento, con excepción de nuestros primeros años de vida, sólo basta con decidir hacerlo y comer. De igual manera quien quiera crecer espiritualmente sólo debe orar, leer y congregarse. En cada uno de estos casos sólo requerimos ejercer nuestra libertad y actuar. Por su parte en las necesidades emocionales dependemos de los demás.

Nos necesitamos unos a otros para ser felices. El aislamiento social deteriora el alma. Somos criaturas que requerimos del trato con nuestros semejantes. He allí lo complicado y retador del asunto. Es imposible auto proveernos de cariño y aceptación. Requerimos que alguien más nos lo exprese con su amistad, trato y atenciones. Como contraparte debemos considerar que las personas que amamos o que nos aman sólo pueden satisfacer sus necesidades del alma a través de nosotros. ¿Había pensado que la sanidad emocional de sus seres queridos depende en gran parte de lo que usted les exprese?

En algunos casos, como en las relaciones de pareja y entre padres e hijos, los cónyuges y los papás son la principal fuente de provisión de satisfactores del alma. Cada cual puede convertirse en un factor de crecimiento emocional de los que le rodean. Tenemos la posibilidad de fortalecer la autoestima de los hijos. Podemos brindar seguridad y aceptación a nuestra esposa, esposo, amigos, padres y compañeros de trabajo; y en ellos opera la capacidad de enriquecer o debilitar el crecimiento de nuestra dimensión sentimental y afectiva.

A lo largo del recorrido por las necesidades primordiales del alma le invito a analizar su historia emocional a la luz de estas dos realidades, usted como receptor de las expresiones de los demás y como proveedor de afecto y seguridad de sus semejantes. Considere que las necesidades fundamentales del ser humano, en cualquiera de sus dimensiones, son permanentes. No menguan o desaparecen conforme avanza la vida de los individuos. Así como una persona tiene necesidad de comer después de los sesenta y cinco años, también sigue requiriendo afecto y aceptación. El hecho de que los adultos sepamos esconder la necesidad de cariño, no significa que no lo precisemos. Por el contrario, ese acto enmascarador sólo denota una mayor carencia afectiva.

La trampa del chubasco inicial

Tal como la tierra de una barranca jamás se sacia de la lluvia que recibe, tampoco el alma humana puede acumular el afecto recibido durante cierto período de su vida para el resto de ella. Al caer un chubasco sobre la ladera, pareciera suficiente agua para todo el año. Pero sabemos que no es así. Parte del agua será absorbida por la tierra y alimentará sus plantas y pastos por un tiempo. El resto correrá por encima de la superficie para mojar otras áreas. Seguirá su viaje para reunirse en las zonas bajas de la orografía con el resto del vital líquido y buscará un río, presa o mar en los cuales perderse. La barranca ha sido bendecida con la vida que produce el agua. Mas los días de sol y el hambre líquida de su vegetación, terminarán consumiendo sus reservas, dejándola tan necesitada como se encontraba antes de la llegada del aguacero.

Así somos las personas. A pesar de que en ocasiones nuestra vida se ve saturada de afecto, las reservas menguan. Las expresiones de amor que llenan los almacenes subterráneos del alma son absorbidas por un ego exigente y necesitado. Como en la ladera, buena parte de las muestras de cariño queda suspendida en la superficie para ser entregada a otros. Así, volvemos a estar tan necesitados como al principio. Y para recibir lluvia nueva, buscamos a los demás y realizamos actos que les cautiven. Intentamos ganar su aceptación y reconocimiento para que mojen otra vez nuestros corazones y repetir el eterno ciclo de la vida emocional.

Imaginemos la cantidad de cariño y afecto que se prodigan mutuamente una pareja de recién casados. Entre ellos la expresión sentimental es como un diluvio amoroso que satura mutuamente sus necesidades afectivas a través de palabras, contacto sexual, diversión y una entrega total del uno al otro. Sin embargo, resulta absurdo creer que esa agua del alma será suficiente para el resto de la vida matrimonial. Sería tonto pensar que con el cariño y amor expresado en su luna de miel y durante los primeros meses de casados tendrán reservas para satisfacer las necesidades emocionales de los próximos años y décadas. Lo triste es que sin saberlo muchas parejas caen en la trampa del "chubasco inicial". Olvidan que el bosque conyugal requiere ser regado constantemente para mantener verde la vegetación y producir frutos.

No es lo mismo lluvia que evaporación

Este principio de la constancia en la satisfacción de las necesidades básicas del ser humano se aplica a cualquier etapa de la vida. Sabemos que durante los primeros días de existencia los humanos requerimos cuidados y atenciones concentradas y constantes en todas las áreas. Por lo mismo, los padres proveemos esas carencias con entusiasmo y sentido de responsabilidad. Sin embargo, también caemos en la trampa del "chubasco inicial" y reducimos la frecuencia e intensidad de las manifestaciones de amor hacia los hijos conformen van creciendo, dando por hecho que saben que les amamos. Confundimos la lluvia con la evaporación y suponemos que el agua inicial mantendrá saciadas las necesidades afectivas de los niños toda su vida. Es por esto que al llegar a la adolescencia y juventud se encuentran tan carentes de agua que parecen más desierto que bosque, reflejándolo claramente en sus actitudes.

Como contraparte resulta imposible y exagerado mantener un torrente de agua diario. Probablemente el exceso de agua resulte tan nocivo como lo es para cualquier ecosistema. Sin embargo, los seres humanos, y especialmente los padres de familia, debemos proponernos brindar lluvias constantes, aunque sean de baja intensidad. Debemos concentrarnos por lo menos en mantener en nuestro entorno y hogar un ambiente de humedad del que puedan alimentarse quienes nos rodean. La vida familiar es como un huerto en el que el jardinero debe mantener el ambiente adecuado para que las plantas crezcan sanamente. La humedad de las expresiones de amor genera el medio adecuado para el desarrollo de los corazones humanos.

Capítulo 3

Necesidades básicas del alma

..."*Todos tenemos hambre: hambre de pan, hambre de amor, hambre de conocimientos, hambre de paz. Este mundo es un mundo de hambrientos... Aprende a conocer el hambre del que te hablé en el concepto de que fuera del hambre de pan, todas se esconden. Cuanto más intensas, más escondidas*".

—AMADO NERVO.

$\mathcal{L}$as necesidades fundamentales del alma

Al igual que el cuerpo y el alma, el espíritu tiene necesidades que deben ser satisfechas. En el capítulo uno abordamos brevemente cómo satisfacer las necesidades básicas del cuerpo y del espíritu. Ahora nos concentraremos en identificar las del alma humana para suplirlas y evitar deficiencias que perjudiquen la autoestima. A lo largo de la explicación le invito a reflexionar sobre qué tanto y con qué calidad han sido nutridas sus necesidades del alma. También analice si se ha encargado de saciar los requerimientos afectivos de sus seres queridos.

Es importante considerar que aunque las necesidades básicas permanecen a lo largo de nuestro existir, es durante la infancia cuando se establecen las bases para el desarrollo emocional y afectivo de la gente. A lo largo de esta bella e inconsciente etapa la autoestima se forja y se marca fuertemente el carácter.

En términos generales, el sustento central de la autoestima descansa en el hecho de saberse y sentirse importante y seguro. Esto se obtiene a través de la satisfacción de las diferentes necesidades básicas del alma que han sido clasificadas por distintos especialistas de maneras diversas. Por lo mismo me he concentrado en cinco que incluyen a la mayoría de ellas y poseen los nutrientes suficientes para fortalecer el ánimo, carácter y opinión sobre sí mismo de las personas. Estas cinco necesidades básicas son: Seguridad, aceptación, respeto, amor e identidad. Analicemos cada una de ellas con la doble intención de revisar si las estamos proporcionando a nuestros seres queridos y si nos proveyeron de ellas durante nuestra infancia, juventud y actualmente.

No necesitamos culpables, sino soluciones

Conviene hacer unas advertencias importantes para no perder la intención y provecho que podemos obtener del análisis que vamos a iniciar. A lo largo de la lectura encontrará ejemplos que le producirán recuerdos relacionados con sus padres, cónyuge y otros seres queridos. Recordará situaciones desagradables e incómodas y a las personas que se las provocaron. Considere que el hecho de que alguien le haya lastimado o no haya suplido sus necesidades emocionales, como sus padres por ejemplo, no significa que hubo en ellos la intención de perjudicarle. De hecho, le garantizo que en la mayoría de los acontecimientos dolorosos de su pasado quiénes le ofendieron no tenían como propósito causar tal daño. Probablemente si usted les refiriera esos acontecimientos ni siquiera los recuerden, ya que para ellos no poseen la importancia que para usted sí tienen. Esto no quiere decir que el daño sea menor, lo único que significa es que no necesariamente hubo la intención de lastimarle.

Mi propósito no es encontrar los culpables de nuestras heridas del alma, sino las soluciones a ellas. Mucha gente ha identificado quién o qué es la causa de algunos de sus males emocionales. Lamentablemente esto sólo ha servido para culparles y experimentar ya no sólo el dolor del alma, sino también rencor hacia esas personas. Más adelante recomendaré cómo deshacernos de estas pesadas cargas.

Cuando veamos ejemplos sobre situaciones infantiles analícelas desde las perspectivas de los niños y no de los adultos. Por ejemplo, si hablamos de la desilusión sufrida por un pequeño porque ninguno de sus compañeros de escuela asistió a su fiesta de cumpleaños, debemos considerar la trascendencia que ese evento tiene para un pequeño de nueve años de edad. Para él este evento es muy importante. Que sus amigos fueran a su fiesta tiene grandes implicaciones como reconocimiento, recibir un buen número de regalos, aceptación, sentido de pertenencia al grupo, seguridad, ser tema de conversación al día siguiente en la clase, etc. Por lo mismo es importante que en cada caso consideremos el punto de vista de quien recibe el agravio, independientemente de la intención del ofensor y de la magnitud de dicho acontecimiento ante nuestra manera actual de pensar.

Veamos pues las cinco necesidades básicas del alma

1. Seguridad

Las personas necesitan sentirse seguras para desenvolverse sanamente. Vivir experimentando inseguridad produce uno de los peores tormentos del alma humana. La incertidumbre que produce un estado de inseguridad ataca al sistema nervioso y mengua la salud, capacidad de desempeño y de relación y destroza la autoestima. La mayor necesidad de una sociedad, después del alimento y abrigo, es sentirse protegida. La necesidad de seguridad es tan grande en los seres humanos que preferimos enfrentar una mala certeza que continuar en incertidumbre. Es por esto que los estudiantes, ante la cercanía de un examen difícil afirman: "quisiera que ya pasara esta prueba, no me importa reprobar, pero ya quiero que pase". La realidad es que sí le interesa sacar una nota aprobatoria, pero desea cambiar la incertidumbre por seguridad, aunque ésta se base en una mala noticia.

En términos prácticos, ¿cómo obtenemos seguridad?, ¿cómo podemos identificar si estamos brindando seguridad a nuestros seres queridos y si se nos ofrece y ofreció a nosotros? Hay tres maneras prácticas de producir seguridad en las personas y son: protegerle, proveerle y establecer límites. Veamos cada una a detalle.

a) Seguridad por Protección

La sensación de protección surge de la certeza de contar con el respaldo total de alguien más fuerte, capaz y poderoso que nosotros. Una ama de casa se siente segura cuando su esposo se encuentra en el hogar. Se sentirá más confiada a tomar cualquier tipo de decisiones si su marido la respalda a pesar de que se equivoque. Lo mismo sucede en una compañía en la que el empleado sabe que cuenta con el apoyo de su jefe. También ocurre cuando conoce que existe una ley gubernamental o política sindical que le respalda ante cualquier arbitrariedad.

Saber que alguien más poderoso nos respalda brinda la sensación de seguridad necesaria para actuar con firmeza y fortalecer la autoestima. Un niño vivirá confiado cuando tenga la certidumbre que sus padres le respaldarán ante cualquier circunstancia. Por ejemplo, cuando tiene un problema en la escuela o rompe con su pelota el cristal de la casa del vecino. Por el contrario, si la directora del colegio cita a los papás para resolver el conflicto del hijo, y ellos no asisten, el niño identificará la ausencia de respaldo y protección, dañando su sentido de seguridad.

Cuando alguien vive desprotegido durante su infancia, el temor surge y la autoestima se erosiona. Vivir desprotegido es vivir teniendo como único respaldo nuestras propias capacidades, y éstas, cuando somos niños, son muy reducidas. Por lo mismo la inseguridad empieza a ganar terreno y el corazón se debilita y resquebraja. Esto genera temor, el cual suele manifestarse a través de un complejo de inferioridad, agresividad o rencores. La seguridad produce confianza y la confianza es el mejor pegamento para todas las relaciones humanas, incluyendo el trato con nosotros mismos.

Educados para desconfiar

Recuerdo las pésimas lecciones que algunos padres bien intencionados dan a sus hijos para que, según ellos, aprendan a valerse por sí mismos. Un ejemplo es cuando conviven padre e hijo en una piscina. Como parte del juego el papá invita al pequeño a que brinque hacia él desde la orilla de la alberca. El niño, temeroso, duda si debe hacerlo o no. Pero al ver los brazos de su padre extendidos y prestos para atraparle decide hacerlo. Él ve a papá como un hombre fuerte, confiable y todopoderoso. Sabe que le ama y que está allí para protegerle. Finalmente cierra sus ojos, lleva una de sus manos a la nariz y se arroja. En ese momento el padre se retira dejándolo a la deriva en medio de la alberca. Con un manoteo desesperado y tragando angustiantes cantidades de agua, el niño siente finalmente los brazos de papá que le rescatan. Entre llantos y tos el pequeño escucha la "gran lección" de su supuesto héroe: "hijo, aprende que en esta vida no debes confiar en la gente, ni siquiera en tu padre".

Por increíble que parezca algunos papás aplican "enseñanzas" de este calibre ignorando el tremendo golpe que asestan a la autoestima de los hijos. Acciones de este tipo generan desconfianza e inseguridad, pues la verdadera lección que recibe el pequeño es "mi papá no me protege, con él no estoy seguro, no puedo confiar, estoy solo y no sé valerme, tengo miedo a muchas cosas y no cuento con alguien superior que vele por mí".

Lo mismo nos sucede a los adultos, sólo que la experiencia que hemos adquirido nos provee de más herramientas para enfrentarnos a los retos diarios. Sin embargo cuando luchamos con situaciones nuevas o difíciles buscamos dónde se encuentra ese héroe que nos rescate. Por supuesto que no esperamos que papá y mamá vengan por nosotros, pero buscamos el consejo o apoyo de alguien más que ya conozca o haya vivido lo que estamos pasando. En otras palabras recurrimos a alguien que nos brinde cierta seguridad a través de su "protección".

b) Seguridad por Provisión

Las personas obtenemos un sentido de seguridad cuando vemos provistas nuestras necesidades básicas, tanto materiales como emocionales. Los humanos somos totalmente diferentes a los seres del reino animal. La provisión es uno de los principales signos que marcan estas diferencias. Pensemos en las tortugas marinas. En el instante en que los críos rompen el caparazón del huevo en el que se formaron son totalmente independientes. Ya no requieren del cuidado de sus padres ni siquiera para alimentarse o trasladarse. En el mismo momento de su nacimiento poseen habilidades de locomoción suficientes para iniciar su trayecto hacia el mar. Y si no son comidos por algún animal durante su recorrido, serán capaces de conseguir alimento por sus propios medios.

Las personas no podemos sobrevivir sin la ayuda total de adultos que nos provean alimento, abrigo y cuidados suficientes durante nuestros primeros años de vida. Imagine qué sucede si dejamos a un niño o niña de tres años de edad completamente solo. A menos que alguien le ayude ese pequeño o pequeña morirá irremediablemente. Los humanos somos seres interdependientes. Requerimos de otros para sobrevivir, especialmente durante la infancia. Con el paso de los años podemos proveernos por medios propios de comida y abrigo, pero jamás seremos autosuficientes intelectual y emocionalmente. El alma humana requiere del contacto con otra alma para desarrollarse sanamente.

¿Cómo se siente usted cuando no tiene la certeza que tendrá el dinero suficiente para cumplir sus responsabilidades del mes? Seguramente experimenta sensaciones de inseguridad. La provisión es un factor fundamental en la formación de nuestra seguridad. Saber que tenemos cubiertas las necesidades básicas nos brinda confianza. En una casa donde las circunstancias económicas han menguado a tal grado que el niño no sabe si ese día va a comer o cenar, se vivirá con incertidumbre. Esto, además de robar la paz interior, produce temor entre los miembros de la familia.

Provisión económica y seguridad

La niñez no es una etapa para preocuparnos por si papá o mamá tendrán el dinero para llevar la comida a la mesa. En este período de la vida las preocupaciones deben limitarse a jugar, divertirse e ir a la escuela. Un niño que vive con la angustia de no saber si tendrá alimento, crece inseguro y se debilita su autoestima. Tristemente esta no es una situación ajena a muchas familias latinoamericanas. Aunque la mayoría de las veces los papás no son culpables de estas carencias, las emociones no entienden razones y la inseguridad interior avanza.

El punto en cuestión es que el puro hecho de sentirse desprovisto genera un estado o sensación de inseguridad. Por supuesto que el daño será mayor cuando la carencia se deba a la irresponsabilidad del padre o madre de familia. Me refiero a situaciones de alta ineptitud, como cuando el hombre no trabaja por pereza o gasta buena parte de sus recursos en vicios y diversiones egoístas sin considerar primero las necesidades de su gente. Aquí lo que juzgamos no es la cantidad de dinero que se trae a casa, sino el desinterés por hacerlo.

Recordemos que las necesidades del alma no desaparecen cuando pasamos de los quince o veinte años de edad. Permanecen toda la vida. Un adulto también siente inseguridad ante etapas de poca solvencia económica. Quienes poseen una autoestima sólida resisten mejor estos embates de la vida. En ellos su seguridad también se ve amenazada, pero cuentan con mayor fuerza interior para enfrentarla.

¿Cómo fue la provisión que recibió durante su infancia y juventud? ¿Discutían sus padres porque alguno de ellos se negaba a utilizar el dinero en cubrir gastos relacionados con usted o sus hermanos? ¿Se generaban conflictos al utilizar dinero para llevarle al médico, adquirir medicinas, cubrir gastos escolares o comprarle zapatos y ropa? Ante situaciones así es probable que nuestro concepto sobre nosotros mismos se vea afectado. Creemos que no somos personas lo suficientemente importantes o valiosas como para que papá o mamá invirtieran su dinero en nosotros con gusto.

Es provechoso analizar si no reproducimos alguna de estas actitudes hacia nuestros hijos o cónyuge, pues de ser así, estamos golpeando su autoestima. Para cerrar este punto conviene recordar que la provisión también comprende que sean cubiertas necesidades de índole emocional mediante abrazos, besos, elogios, escuchar con atención, compartir tiempos de juego y diversión, etc.

c) Seguridad por Límites

Cada vez son más los estudiosos del comportamiento humano que coinciden en que la existencia de límites en una casa fortalece la seguridad de sus miembros. Fijar reglas no es una medida aceptada agradablemente por sus hijos. Si pensaba ganar la popularidad este punto disminuirá sus votos. Sin embargo generará excelentes resultados a mediano y largo plazo. A primer vista parece que establecer límites es una medida que no ayuda mucho a forjar seguridad, sin embargo, son un recurso indispensable para lograrlo.

¿Qué horas son éstas para llegar a casa?

Imagine a un adolescente que sale con sus amigos la noche del viernes. Si usted no ha establecido cuál es la hora límite para regresar a casa, el joven lo hará de acuerdo a los permisos y tiempos de sus amigos. Supongamos que vuelve a las 11:30 de la noche y usted le regaña por regresar a esa hora. El siguiente fin de semana su hijo se presenta hasta la medianoche. A diferencia de la semana anterior no le llama la atención porque usted pasaba un buen tiempo con unos amigos que le visitaron. Como usted se divertía no se había preocupado ni tenía conciencia de la hora que era.

La siguiente ocasión el jovencito llega después de las once y nuevamente es regañado. Ante esta inestabilidad el chico empieza a experimentar inseguridad debido a que no conoce las reglas del juego. ¿Por qué en ocasiones me llaman la atención por llegar a esta hora y otras veces no? ¿Regreso a casa o me quedo otro poco? ¿Me castigarán o no pasará nada? Por insignificante que esto pueda parecer, el resultado es inseguridad. Los límites y reglamentos aunque nos desagraden nos brindan seguridad. El jovencito puede decidir romper la regla y aceptar el castigo consecuente, pero lo hará seguro de lo que está haciendo.

Conocer los límites nos da libertad

Quienes practican el buceo saben perfectamente que para disfrutar de su excursión submarina a buenas profundidades requieren llevar el equipo adecuado. Si por alguna razón no traen este instrumental no disfrutarán del recorrido. La función del equipo es señalar límites. Los buzos revisan en sus medidores la reserva de oxígeno que tienen y la profundidad o presión a la que se encuentran. Ignorar esos límites puede ser fatal y ellos lo saben. Necesitan saber a qué profundidad se encuentran, conocer la presión y si el suministro de oxígeno que poseen es suficiente para regresar a la superficie. Bucear sin el instrumental que les muestre estos límites es un fastidio porque en la mente hay incertidumbre. Si desconocen las condiciones en que se encuentran están intranquilos. No pueden disfrutar su excursión por temor a rebasar al límite. Si el buzo cuenta con su equipo de medición, entonces puede disfrutar perfectamente de su paseo porque se moverá dentro de los rangos de seguridad.

Conocer los límites nos da la libertad para movernos tranquilamente dentro de los rangos permitidos. Al igual que un explorador marino, el conductor de un automóvil revisa constantemente su instrumental para no rebasar los límites. El medidor de combustible posee una zona de advertencia marcada en rojo para avisarnos que necesitamos gasolina. Su intención no es fastidiar o limitar al conductor, sino ayudarle.

Lo mismo sucede en los negocios. En un trato de compraventa nos sentimos inseguros cuando desconocemos hasta dónde podemos rebajar el precio (piso) y hasta dónde estamos dispuestos a aumentar nuestra oferta (techo). Cuando conocemos ambos límites podemos negociar con la certeza de que haremos un buen trato siempre y cuando no rebasemos esas fronteras.

Límites en la familia

En el ámbito familiar la manera más sencilla de establecer límites es tener un reglamento. Éste debe ser explícito, claro y conocido por todos los miembros de la familia. No es justo ni conveniente que las reglas sólo se encuentren en la mente de papá y mamá y que se apliquen sobre los hijos sin que ellos sepan cuál es la línea que cruzaron.

Si cualquier empresa cuenta con políticas que permiten tomar decisiones y regir el actuar de los empleados, de igual manera la familia necesita reglamentos. Es importante que las reglas sean respetadas por todos y establecer las consecuencias de violarlas. Con esto no quiero decir que militarice su casa. No lleve este punto al extremo de que todo en su familia gire alrededor de las reglas. Sin embargo, es importante establecer cuáles son las normas que deben respetar. Puede hacer un reglamento sencillo respecto a los puntos que despiertan mayor controversia. Considere los permisos para asistir a fiestas; las responsabilidades del hogar que competen a cada miembro y los principios básicos de convivencia como no mentir, no burlarse de los demás, no golpearse, no tomar cosas que pertenecen a otros, etc.

Para establecer su reglamento familiar considere los siguientes puntos:

1. Involucre a todos en el proceso de elaborar el reglamento.

Muchos padres y madres cometemos el error de ignorar a los hijos en este proceso y lo que obtenemos es mayor rechazo hacia el reglamento, o lo que es peor, hacia nosotros. Claro que si su hijo sólo tiene dos ó tres años es obvio que su colaboración será nula. Pero si cuenta con hijos e hijas de seis años o más, ya puede invitarles a participar.

Este punto es muy importante porque quien participa en el proceso se compromete más pues sabe que algunas ideas son resultado de sus propias propuestas. Resista la tentación de jugar el *rol* de dictador demócrata. No sea el tipo de papá o mamá que hace creer a los otros que participan pero que de antemano ya tiene definido todo lo que se hará. Sus hijos descubren esto y pierden interés en el proyecto.

Es bueno que tenga algunas ideas sobre las reglas, pero considere seriamente las propuestas de sus hijos y de su cónyuge. Esto le dará mayor fuerza moral a la hora de aplicar el reglamento. Para evitar caer en la "democracia dirigida", haga del proceso algo divertido y muestre razones para que una regla sea aceptada. Por ejemplo, aclare que toda regla debe llevarlos al respeto de todos y a la mejor convivencia familiar; que ningún castigo debe denigrar a la persona, sino que debe ayudarle a modificar su conducta errónea y que si alguna propuesta no cumple estos puntos será rechazada.

2. Establezca las consecuencias desde el principio.

Los castigos o premios deben establecerse desde el momento en que se pone la regla. De no ser así caemos en la torpeza de aplicar castigos de acuerdo al estado emocional que experimentamos cuando se rompe la regla. Si estamos de mal humor adjudicamos una pena muy fuerte y si estamos de buen ánimo pasamos la falta por alto o aplicamos un castigo sumamente débil. Esto no ayudará a su hija o hijo a modificar su conducta errónea.

Cuide que los castigos estén directamente relacionados con la falta que se cometió. Hacerlo ayudará al infractor a relacionar que su actuar tiene consecuencias lógicas y que éstas en sí ya son el castigo. Por ejemplo, si su hijo tiene por obligación tender su cama y no lo hace, el castigo en sí es que su recámara luzca fea. Sé que para la mayoría de los jóvenes no es un castigo, sino parte de su "habitat natural". Entonces imponga como castigo que al día siguiente, además de tender su cama tienda también la de la persona que tendió su cama por él. Si no colocan la ropa sucia en el cesto correspondiente el castigo es que no tendrá su ropa limpia cuando la necesiten. Es una consecuencia natural. Si su joven rebasa el tiempo límite para llegar a casa por la noche el castigo debe estar relacionado con la siguiente vez que desee salir. La idea es que, en la medida de lo posible, relacione el castigo con la falta.

3. Sea flexible.

Las reglas deben modificarse conforme los hijos crecen y de acuerdo a los cambios que vive su propia familia. Sea flexible en eventos y fechas especiales, pero deje claro que se trata de una excepción. Por ejemplo, mis hijas tienen permitido ver dos programas de televisión diarios. Ellas mismas los eligen dentro de los programas que consideramos aptos para su edad y nuestros valores familiares. Sin embargo, eventualmente me solicitan permiso para ver uno extra por tratarse de algo especial o que no sabían que se estaba exhibiendo. Generalmente cedo, ya que no lo hacen con frecuencia. Es algo especial. La misma excepción aplicamos durante los períodos vacacionales, en los cuales establecemos nuevos límites temporales. Recuerde ser flexible y no perder el sentido común. No convierta el reglamento en el regulador de sus vidas. Es una herramienta para ayudarle a convivir mejor, proteger a sus hijos y ofrecerles la oportunidad de desarrollar autodisciplina y responsabilidad.

4. Los papás también deben respetar el reglamento.

Me molesta de sobremanera ver a oficiales de policía en su patrulla pasarse una calle con el semáforo en luz roja sin razón alguna. Es reprochable ver automóviles de algún empleado de gobierno estacionado en un lugar incorrecto sin recibir infracción por hacerlo. Es injusto e incorrecto porque las autoridades tienen no sólo la responsabilidad, sino la obligación de respetar las leyes y poner el ejemplo al resto de los ciudadanos.

Resumiendo

Si quiere realmente impactar la vida de sus hijos con el reglamento, sea el primero en cumplirlo. Si está prohibido llevar comida a la cama o al sillón de la sala, por favor cúmplalo usted también. Si es algo especial para usted, entonces no lo convierta en una regla y permita que sus hijos también lo hagan. Para disminuir riesgos aplique reglas que protejan los posibles daños. En el ejemplo de la comida en la cama se puede poner como regla que sólo se permite en días inhábiles y con la condición de que se coma sobre una charola y se deje el lugar completamente limpio al terminar.

Si creció en un ambiente familiar carente de protección, provisión y de límites, es probable que tenga o haya padecido problemas relacionados con la inseguridad. Si el medio en el que se desenvuelve está carente de reglas y límites atrévase a proponerlos o auto impóngase una serie de políticas que rijan su comportamiento. Así aumentará su sentido de seguridad.

Recuerde que la incertidumbre es una fuente de inseguridad. Evite generar incertidumbre en sus hijos a través de amenazas incompletas o promesas de castigos inviables como: "si lo vuelves a hacer te voy a correr de la casa"; "te voy a meter a un orfanato"; "te castigaré de una manera terrible que ni te imaginas", etc. Estas falsas promesas condenatorias generan incertidumbre y desconfianza. Aumentan la inseguridad y no resuelven los problemas de fondo.

La seguridad es uno de los mejores regalos que puede brindar a los suyos. Respalde a sus hijos. Haga presencia en sus conflictos. Esto no quiere decir que debe librarlos de culpa ante los demás cuando ellos son culpables. Aunque los castigue ellos se sentirán seguros con su presencia. A todos nos es agradable contar con el apoyo de alguien más fuerte que nosotros. Nos da seguridad.

2. Aceptación.

Todos necesitamos sentirnos aceptados. Quizás este es el principal móvil del actuar humano. De una u otra manera buscamos que nuestras acciones, declaraciones, manera de vestir, actividades y demás sean una fuente de reconocimiento o aprobación por parte de otras personas que consideramos importantes. Incluso muchos procuramos la aceptación de personas que no tienen relevancia alguna en nuestras vidas y modificamos parte de nuestro actuar para agradarles. La necesidad de aceptación es tan fuerte que cuando no la encontramos en nuestra familia la buscamos en un equipo deportivo, club social, una pandilla, los compañeros de trabajo o en cualquier otro grupo que nos ofrezca un lugar.

Con el fin de unificar criterios propongo que definamos la aceptación como la necesidad de recibir expresiones de reconocimiento y aprobación por parte de otras personas. La clave de la aceptación descansa en que podamos sentirnos amados y valorados por lo que somos y no por lo que hacemos o tenemos. Vivimos en una sociedad consumista y materializada en la que se han establecidos parámetros vanos para juzgar el valor de las personas. Cada grupo social reconoce y acepta a quienes cumplen los requisitos escritos y no escritos de su organización. Generalmente éstos se relacionan con lo que las personas "hacen" o "tienen". Si alguien no llena los requisitos el grupo le envía claras señales de rechazo. Este proceso de aceptación – rechazo, no necesariamente es conciente y mal intencionado, sin embargo golpea y afecta el alma de quien siente que no alcanza los parámetros establecidos.

La paradoja de los resultados

Como ejemplo podemos pensar en el método de evaluación del sistema educativo. La escuela establece rangos numéricos para determinar quien entra dentro de la categoría de "reprobados", "aprobados", "mediocres", "buenos" y "excelentes". El parámetro de clasificación son las calificaciones obtenidas, independientemente del valor como persona y de otras capacidades y habilidades que el alumno posea. Por supuesto que en este caso se buscan referencias para saber si el joven aprendió lo enseñado, pero los estudiantes (y lamentablemente también los maestros y papás) caemos en la trampa de catalogar al joven o niño de acuerdo a esos resultados.

Las iglesias e instituciones de voluntariado no están exentas de este mal, pues a pesar de que la mayoría de sus congregantes participan de manera altruista, poco a poco empiezan a ser evaluados y valorados por el grupo. Se les juzga y valora con base en qué tanto participan y cuántos resultados producen (el hacer). Aquéllos que no obtienen buenos logros son relegados, olvidando el valor que poseen como seres humanos por el simple hecho de existir.

Cierto es que toda organización requiere resultados y que éstos se obtienen a través de gente. La lógica con la que operan las instituciones es dar más responsabilidad a quienes más producen y mientras mejor lo hagan incrementan su responsabilidad, influencia y privilegios. Esto es correcto. Mi preocupación radica en que independientemente del incremento, desarrollo y buenos resultados de algunos, se rechaza, juzga y devalúa a quienes no responden de esa manera. Esto es nocivo; pues el mensaje que se transmite es que se adquiere mayor valor como persona en la medida en que alcanzamos mayores logros de acuerdo a los parámetros de la organización.

En los extremos de la actitud nociva de aceptación tenemos a los grupos, clubes, pandillas o asociaciones cuyos requisitos están basados en la posesión de bienes económicos (el tener) Cuando queremos formar parte de un grupo que da mucha importancia al dinero y las posesiones, vivimos con la angustia de "tener" para sentirnos aceptados. Si atravesamos por una mala temporada económica nos sentimos devaluados e incluso avergonzados. Con los jóvenes pasan situaciones similares. Sólo que en lugar de sentir presión por tener una residencia de lujo y un gran saldo en el banco, quieren recibir aceptación por traer la ropa de moda, los zapatos tenis de los grandes jugadores de básquet, tomar más alcohol que el resto de la pandilla, etc.

La aceptación en el hogar

Cuando en nuestra propia casa se establecen parámetros de éxito la presión sobre los miembros para sentirse aceptados es muy fuerte. La clave para lograr que nuestros hijos se sientan aceptados es amarlos como son y por lo que son, independientemente de los logros que alcancen. Debemos amarlos por lo que son y no por lo que tienen o hacen. La comparación es un claro ejemplo de que no aceptamos a alguien como es. "Deberías de ser como tu hermano", "ojalá fueras como tu prima", "sería bueno que fueras como fulano de tal que tiene excelentes calificaciones".

Recuerdo una mujer que constantemente recordaba a su marido lo bueno que era su cuñado para hacer negocios. El mensaje detrás de esas palabras era "tú no eres bueno para ganar dinero" . Una frase muy mexicana que denota falta de aceptación hacia la esposa es: "para frijoles los de mi mamá", haciendo sentir a la otra persona que no sabe cocinar bien. Todos estos son detalles sencillos y simples pero en el fondo traen un mensaje muy fuerte que es: "te aceptaré hasta que cumplas mis requisitos".

Es importante aclarar que no siempre tenemos la intención de hacer sentir a las personas así. Infortunadamente la clave no es la intención de las palabras, sino qué es lo que entiende quien recibe el mensaje. No aceptar a una persona es decirle que debe cumplir ciertos requisitos para considerarla valiosa. "Tú no vales hasta que no tengas un título universitario", "serás importante hasta que aprendas a comer como tu prima lo hace", "te voy a querer hasta que te portes bien, hasta que tengas dinero, obtengas un mejor trabajo", etc. Cuando la gente nos compara, daña y perjudica nuestra autoestima. Todos necesitamos sentirnos aceptados por lo que somos y como somos y no por lo que hacemos o tenemos.

Imagine qué piensa una niña cuando sus padres le dicen que debe tener las calificaciones de su prima y por más que se esfuerza no obtiene los mismos resultados. O cuando al hijo mayor se le compara con su hermano más chico que es excelente deportista. Seguramente él posee otros atributos distintos a los deportivos. Tengamos cuidado respecto a las comparaciones y pensemos antes de juzgar a nuestros seres queridos.

Siempre hay alguna virtud

Algunos padres preocupados me han comentando que uno de sus hijos no posee grandes virtudes mientras que otro sí. La verdad es que todos poseemos virtudes, pero tendemos a reconocer sólo aquellas que sobresalen dentro de nuestra sociedad o círculo de desempeño. Existen muchas habilidades de suma importancia que generalmente menospreciamos. Me refiero a virtudes como paciencia, respeto, saber escuchar, ser obediente y ordenado, tener consideración hacia los demás, prudencia, disciplina, creatividad, fidelidad a los amigos y ser cariñoso, por mencionar sólo algunas. Estas son virtudes más difíciles de desarrollar y de igual o mayor trascendencia que jugar bien al fútbol, ser el alma de la fiesta u obtener buenas notas en la escuela. Brinde aceptación a quien ama, independientemente de su comportamiento y méritos, o a pesar de ellos.

Con esto no quiero decir que no debe corregir las actitudes y acciones incorrectas. Por supuesto que debemos hacerlo y para ello hablamos anteriormente sobre tener reglas en casa. La idea es que cuando castigamos a los hijos debemos hacer un claro énfasis que estamos corrigiendo su manera de actuar y no su persona. Hay que aclararles que lo que nos molesta no es lo que son, sino lo que hicieron, sus actos, no ellos.

3. Respeto

Cuando las personas somos tratadas con respeto nos sentimos bien, tomamos conciencia del valor que tenemos y aumenta la estima que sentimos por nosotros mismos y por quienes manifiestan ese respeto. Es por eso que el respeto es una de las necesidades básicas del alma.

Quien es atropellado constantemente en sus derechos siente que disminuye su valor como ser humano y, tristemente, se acostumbra a que le traten así. Incluso hay personas que terminan creyendo que ese es el tipo de vida que se merecen o que "les tocó" vivir. Respetar a alguien va más allá de no ofenderle o permitirle que ejerza sus derechos. El respeto implica acciones en las que se reconoce el valor, derecho y dignidad de una persona sin hacer distinción por su edad, sexo, creencias religiosas o políticas, raza, condición económica, forma de ser, etc.

Es probable que en primera instancia pensemos que somos personas sumamente respetuosas, y que en muy pocas ocasiones se nos falta al respeto. Mas si analizamos un poco las acciones cotidianas encontraremos que ofendemos y nos faltan al respeto más de lo que imaginamos. Muchas veces ni nos damos cuenta de que estamos ofendiendo a alguien. Pensemos en unos papás que sin percatarse hacen sentir mal a su hijo. Aunque ellos no pretendieron ofenderlo el pequeño lo siente como una falta de respeto. En este caso, y en ese momento, lo importante ya no es cuál fue la intención de los padres, sino lo que quedó grabado en las emociones y mente del niño.

Falta de respeto por sexo

Veamos una falta de respeto común por diferencia sexual. Un papá con buenas intenciones decide llevar a su niño al juego de béisbol del equipo de la ciudad. Cuando la hija menor se entera, emocionada le pide a papá que también la lleve al partido. La respuesta automática del padre es: "Esto es cosa de hombres. A ti no te va a gustar, así que no molestes porque no te llevaré". Probablemente el padre tiene varias razones para no llevar a la pequeña. Quizá no tenga suficiente dinero o desea tener un tiempo a solas con su varoncito. Tal vez realmente piensa que el evento no será divertido para la niña.

Todas estas son causas lógicas y justificables, sin embargo la clave y peligro de esta situación es la lectura e interpretación que la pequeña ha hecho de esas palabras. A la niña realmente no le interesa el encuentro de béisbol. Lo que ella quiere es estar con su padre, tener un tiempo con él. Quiere sentirse apreciada, consentida y tomada en cuenta por el hombre que más ama. Si algo le quedó claro y grabado en su mente es que ella no puede ir con papá porque es mujer. Claramente le dijo que eso "era para hombres" y su gran problema es que ella es mujer. Su sexo le estorba para estar con su papá.

En su mente la pequeña cree que si hubiera nacido varón podría estar con papá. En el corazón y pensamientos de esta niña su padre le ha faltado al respeto. Ha hecho una clara diferencia entre ella y su hermano por su sexo. Nótese que no estamos juzgando al señor ni sus intenciones, pero debemos ubicarnos en la mentalidad e interpretación que la niña hace de la actitud y comentarios de su papá.

La solución a situaciones como ésta es muy sencilla y obviamente no es llevar a los dos niños, ni quedarse en casa a ver el juego por la televisión. La clave está en lo que el papá expresa, sus palabras. Él puede decir a la niña que sólo llevará a su hermano porque quiere tener un tiempo especial con él, pero que la siguiente semana tendrá un tiempo especial con ella sola. Incluso puede explicarle que tal vez el juego no sería muy divertido para ella y por eso sólo lleva al hermanito, pero que planearán juntos hacer una actividad en la que ella también se divierta. Ante esta explicación no espere milagros. Seguramente la niña no reflexionará profundamente y aceptará la decisión. Lo más probable es que hará el mismo berrinche de siempre. Sin embargo su corazón no se lastima. Ella no sentirá que su papá le rechaza por ser de sexo femenino, sino entenderá, a pesar de llanto y rabieta, que en otra ocasión le corresponde salir a divertirse con su él.

Lo mismo sucede cuando papá o mamá deciden no abrazar a su hijo porque hay que hacerlo "hombrecito", dejando sus abrazos y besos sólo para las hijas. Cualquier niño, al igual que todo ser humano, necesita recibir expresiones de cariño a través del contacto físico, especialmente de parte de sus padres. Otro ejemplo es cuando al niño se le dice que los hombres no lloran y él siente profundas ganas de hacerlo. Tiene derecho a ello. Es una manera natural de sacar su frustración, coraje o tristeza. Al enseñarle que llorar es exclusivo para mujeres le hacemos sentir culpable. Con actitudes como ésta, además de que no se le respeta el derecho a expresar su estado de ánimo, generamos una severa confusión en el varón. Claramente sus padres afirman que las lágrimas son de mujeres y él siente muchas ganas de llorar, lo que lo pone a dudar si él es verdaderamente un hombre.

Falta de respeto por la edad

Veamos un ejemplo relacionado con la falta de respeto por hacer diferencia en la edad de las personas. Si dos adultos conversan y el hijo de uno de ellos se acerca para preguntar algo a su papá, lo más probable es que no le responda o que le llame la atención por interrumpir la conversación que tienen los adultos. Pero si el papá estuviera conversando con su hijo y se acerca un señor, la participación de éste no es considerada como interrupción, ni el papá le llamaría la atención al recién llegado por no respetar la conversación que tiene con su hijo.

En otras palabras si el niño interrumpe es una falta grave, pero si un adulto lo hace no es una falta. El mensaje que recibe el pequeño es que su conversación será valiosa hasta que tenga cierta edad. Cree que es más importante un adulto que él, aunque ese hombre no sea de la familia. Su gran problema para ser respetado por sus padres es que es un niño o niña y a su edad no merecen respeto. Tal vez piense que estoy exagerando la magnitud de estos eventos, pero le recuerdo que estamos hablando de qué es lo que pasa en la mente y corazón del niño, no en la del adulto. ¿Acaso no recuerda usted alguna situación dolorosa causada porque alguien le trato diferente a los demás debido a que usted era de cierta edad, sexo, religión, raza o incluso zona geográfica?

Hay ciudades en las que se desprecia a los extranjeros o a conciudadanos de otra región del país. Cuando una familia de la zona rechazada se muda a la ciudad discriminatoria sufre graves consecuencias emocionales por su origen. Los compañeros de escuela se burlan ferozmente de los alumnos recién llegados. En el trabajo cuentan bromas relacionadas con ellos; los círculos sociales no les dan cabida en sus actividades y los negocios se limitan. Este tipo de "racismo" geográfico o cultural es una fuerte muestra de falta de respeto y rechazo que cala dentro del alma humana.

Sentirnos respetados genera en nosotros una fuerte sensación de seguridad, valía y paz. Todo ser humano merece y tiene el derecho a ser escuchado y respetado. ¿Qué tanto respeto tuvieron sus padres, maestros, familiares, vecinos y amigos con usted? ¿Está usted respetando a sus hijos sin hacer diferencia por su edad? ¿Cómo trata a sus padres? ¿Sigue respetando sus opiniones y comentarios a pesar de su edad? Muchos cometemos el error de ignorar los comentarios de los ancianos por su edad avanzada, pero ¿se ha preguntado qué estamos haciendo con su derecho a ser respetados como cualquier otra persona? Así, nos encontramos con que el respeto es otra fuerte necesidad del alma humana que debemos satisfacer desde nuestro nacimiento y hasta la muerte.

4. Amor

A lo largo de mis años como consejero he concluido lo que Salomón descubrió siglos antes de la llegada de Jesucristo. Esto es que el amor cubre una gran cantidad de fallas que cometemos respecto a otras personas.

El amor es el eje sobre el que giran las relaciones sanas. La ausencia de él o de su plenitud es la causa por la que se resquebrajan amistades, familias, matrimonios y sociedades enteras. Es obvio que los seres humanos tenemos necesidad de ser amados y de amar. Alrededor de nuestros grandes logros y fracasos se encuentra el amor. Si analizamos los momentos más felices de nuestra vida y los más dolorosos, seguramente descubriremos que se relacionan con gente que nos ha amado o que hemos amado. La necesidad de amor de los seres humanos está manifiesta a lo largo de toda nuestra existencia. Incluso el hombre aparentemente más duro, independiente e insensible experimenta alivio cuando recibe expresiones del amor de un semejante.

El amor es alimento para el alma del ser humano. Es el complejo vitamínico más poderoso para nutrir el "corazón" de las personas. Quien se sabe amado renueva sus fuerzas, mantiene su esperanza y se sostiene en medio de la adversidad con mucha más entereza que quien no posee esa certeza. Igualmente sucede con quien ama. Una persona enamorada es capaz de enfrentar retos descomunales y escalar pendientes resbalosas sin amedrentarse por la dificultad de la tarea.

El amor mueve y detiene al mundo

Sin embargo, y a pesar de la obvia necesidad de amor que poseemos, la realidad nos muestra que gran parte de la humanidad vive sin recibir, dar o disfrutar del privilegio de amar y ser amado. El amor es quizá el tema más recurrido, mencionado, alabado y desarrollado de la historia. Paradójicamente puede ser el más ansiado y olvidado por la humanidad. Al revisar cualquier medio de comunicación encontramos mensajes que involucran este tópico. Las historias que nos narran las canciones, películas, novelas y series de televisión giran alrededor de relaciones amorosas, de cómo se inician, complican, terminan, resurgen y mueren.

Se han escritos infinidad de libros que hablan sobre el amor hacia los hijos, la pareja, las mascotas e incluso el universo. A pesar de la gran cantidad de publicaciones e investigaciones que se han producido sobre el amor cada vez es más difícil asegurar que un matrimonio será para siempre. No es fácil imaginar que los miembros de una pareja permanezcan fieles el uno al otro durante toda su vida. La razón principal por la que existen tantos desamores es que tenemos un concepto distorsionado acerca del amor. Se ha desvirtuado y empobrecido lo que significa amar. Este debilitamiento nos ha convertido en personas sumamente frágiles e inestables al igual que nuestras relaciones.

El amor no es un sentimiento

Hemos creído como sociedad que el amor es un sentimiento. Pensamos que quien ama es aquél que experimenta sensaciones adrenalínicas que modifican su sistema nervioso. Le hemos llamado "atracción", "mariposas en el estómago", "nerviosismo", "sentir taquicardias", "deseo sexual" y "andar por las nubes". Al revisar estas ideas encontraremos que el común denominador es que todas son sensaciones, estados emocionales. El amor no es eso. El amor no es una emoción. El amor produce emociones, pero no se limita a ellas. Sentir es parte del amor, pero no es su esencia. El amor es un compromiso, un acto de la voluntad. El verdadero amor se encuentra más cercano a la convicción que a la emoción.

Me imagino que en este momento puede pensar que mis afirmaciones son absurdas, poco románticas y frustrantes. ¿Cómo es posible que considere que el amor no es una emoción? ¿Acaso puede ser motivador pensar en el amor como un mero acto de la voluntad? Permítame explicar con más detalle por qué el amor es una decisión antes que un estado emocional.

Veamos al amor desde un punto de vista práctico, aplicable a la vida diaria. El amor debe traducirse en hechos, en expresión. ¿De que sirve que alguien sienta amor hacia nosotros si nunca lo expresa? Las personas no nos enamoramos de lo que los demás sienten por nosotros. Nos enamoramos de lo que nos manifiestan. Es la expresión lo importante, no el sentimiento. Debemos aprender que por muchos años hemos tenido un concepto erróneo del amor. Se nos enseña que amar es sentir, que es experimentar una sensación de cosquilleo, de nerviosismo o entusiasmo dentro de nosotros, pero no es así.

El amor es un acto de la voluntad

Cuando nos casamos no entregamos a nuestra prometida un anillo de emoción. Le damos uno de compromiso, porque el amor es compromiso. Prometemos que nuestro amor no está sustentado solamente en lo que sentimos en ese momento, sino que es para siempre. Tomamos la decisión de ser fieles en las buenas y en las malas ya que en los buenos tiempos cualquiera puede amar, pero en las malas es cuando la emoción flaquea y los sentimientos dejan de ser los mismos. Es allí cuando el amor se demuestra a través del compromiso.

Basar el amor en las emociones es como caminar sobre cristales. Con cualquier paso en falso los quebramos y nos dañamos. Las emociones son sumamente volátiles e inestables. Nuestro estado del humor depende de demasiados factores externos como el clima, la situación económica, el estado de nuestras relaciones laborales y hasta de si hemos comido o no. Pensar en el amor como una mera emoción es creer que hoy amo porque siento mucho y mañana no porque ya no sentí de la misma forma o con la misma intensidad.

Es fácil emocionarse por una relación nueva. Por supuesto que nos sentimos bien cuando una persona del sexo opuesto nos halaga o nos corteja, pero si hemos hecho un compromiso amoroso no debemos dejarnos llevar por ese sentimiento. Sabemos concientemente que se trata solamente de una emoción. Muy excitante, pero sólo una emoción. Nuestro amor está basado en un compromiso superior a nuestras experiencias emocionales. Por lo mismo una persona que ama decide no dar cabida a esos coqueteos, que aunque agradables, son un claro atentado contra nuestro compromiso de amar.

Cuando escuchamos la definición del amor como un acto de la voluntad y pensamos en la relación de pareja consideramos que tal concepto es incorrecto. Curiosamente, cuando lo llevamos a otro tipo de relaciones nos parece adecuado. Por ejemplo la relación entre padres e hijos. Los padres de familia actuamos respecto a nuestros hijos con base en lo que consideramos mejor para ellos sin importar cómo sentimos al respecto. Les corregimos y castigamos a pesar de que no nos agrada hacerlo, pero lo hacemos porque estamos convencidos que es lo correcto.

Por amor trabajamos horas extras y sacrificamos tiempos de descanso para suplirles sus necesidades y hasta sus caprichos, a pesar que no estamos muy emocionados de hacerlo. ¿Por qué actuamos así, si no sentimos ganas de hacerlo? La respuesta es sencilla, porque les amamos. Nuestro amor hacia ellos no se basa en lo que sentimos, sino en ese compromiso que hemos adquirido voluntariamente de darnos a ellos.

Jesucristo mismo es un claro ejemplo del amor como decisión. Cuando se encontraba en el monte de los Olivos, listo para ser arrestado y llevado a padecer su dolorosa muerte, oró a Dios Padre que si era posible le permitiera no pasar por ese tormentoso momento. Su famosa frase: "Padre si es posible, pasa de mí esta copa", es una manera de decir: "no siento ganas de morir por la humanidad". "No estoy emocionado por lo que va a suceder". Sin embargo su compromiso de amor fue tal que agregó: "pero que no se haga mi voluntad sino la tuya". ¿Por qué dijo esto Jesucristo? La respuesta nuevamente es muy sencilla, por amor a nosotros. Su amor no estaba basado en lo que sentía. Su amor no dependía de su estado de ánimo. Era una decisión respaldada por su convicción e integridad. Era amor verdadero, comprometido a pesar de sus emociones.

El amor es expresión

De igual manera que en los ejemplos anteriores debemos ver al amor como la decisión de expresar nuestro cariño a la persona amada. El amor como necesidad del alma sólo puede ser saciado a través de expresiones claras y constantes como abrazos, caricias, atenciones, palabras de aliento, etc.

La lección de Javier

Rodrigo llegó a mi oficina acompañado de Javier, su hijo, por un problema en el que el muchacho se había metido. En privado Rodrigo me expuso la situación. Al salir el preocupado papá, entró su hijo a conversar conmigo.

—Mire señor, no se complique la vida, aquí el verdadero problema es que mi papá no me quiere.

—Tú papá está muy interesado en ti. - Respondí.

—Eso es lo que parece, pero la realidad es que no me quiere.

Reflexioné unos segundos y pronuncié los tradicionales argumentos del manual de los padres para convencer a los jóvenes:

—Claro que tu papá te ama. Él te ha provisto de muchas cosas a lo largo de tu vida. Te ha dado una educación en escuelas privadas, te ha alimentado. Es un hombre trabajador que provee lo que mamá, tus hermanos y tú necesitan. Incluso el hecho de que hoy te haya traído conmigo habla de su interés y cariño por ti.

—Bueno, debo reconocer que mi papá es un hombre muy responsable. Cumple todas sus obligaciones. Pero no me quiere. – Con lágrimas en los ojos y a toda velocidad Javier agregó:

—Nunca me ha dicho que me ama, nunca me abraza. Parece que le da vergüenza hacerlo. Tampoco asiste a mis actividades. Es más, ni siquiera sabe cuáles son mis eventos. Si él realmente me amara, haría todo eso.

Sé que Rodrigo realmente amaba a su hijo. Como papá estaba dispuesto a hacer grandes sacrificios por amor a su familia. Sin embargo Javier tenía razón en cuestionarlo, pues no recibía manifestaciones de ese amor. De poco sirve que sintamos mucho hacia alguien o que estemos colmados de intenciones. El amor no es un sentimiento. El amor es actuar a favor del otro y expresárselo. Esa tarde Javier me dio una gran lección: El amor no existe hasta que se expresa, antes de eso es un simple sentimiento.

Las expresiones amorosas transforman vidas

Imagine la fortaleza que adquiere cualquier relación, y en especial la de pareja, cuando las partes se expresan constantemente su amor. Las palabras y el contacto físico amoroso son manifestaciones claras de ese cariño. Al hablar de la expresión amorosa no me refiero exclusivamente a las caricias y el contacto sexual. También son demostraciones palpables de amor escuchar atentamente y dedicar tiempo exclusivo para esa persona. Podemos agregar a la lista proveer necesidades materiales, darle su lugar delante de otros y brindar caricias sencillas para hacerle sentir bien, etc.

En una relación matrimonial el amor incluye la decisión de mantener vivas las emociones para que la relación siga siendo atractiva y sensible. Esto implica proponernos salir solos a pasear, hablar y divertirnos regularmente, tal y como lo hacíamos en la etapa del noviazgo. Si es necesario debemos invertir en alguien que cuide a los hijos para tener tiempo de convivencia a solas. Momentos como estos enriquecen la relación y mantienen vivas las emociones.

Hechos son amores

El amor es una decisión traducida en actos sencillos. Podemos dedicar tiempo a quien amamos; acariciar el rostro y manos de los hijos y nuestra pareja o dejar notas con palabras afectuosas en el espejo, refrigerador o la mochila escolar. La manera más sencilla de mostrar nuestro amor es decirle al otro que le amamos y que es importante para nosotros. La fidelidad es una clara manifestación de amor comprometido. Como reza el dicho popular "hechos son amores y no buenas intenciones".

¿Calidad o cantidad?

El amor hacia un hijo se manifiesta en horas de juego y charla. En tiempos de abrazos y besos. En frases de fortalecimiento como "te amo", "eres muy importante para mí", "me gusta mucho como eres" o "eres un regalo de Dios para nuestra familia". Tristemente nuestra cultura consumista promueve que a los hijos hay que brindarles calidad de tiempo en lugar de cantidad. Pensar así es auto engañarnos y dañar las relaciones humanas. La calidad de atención no suple la necesidad de amor que poseemos. Por supuesto que hay que ofrecer calidad en nuestras relaciones pero aunada a dedicar tiempo.

La propuesta de ofrecer sólo calidad es una justificación para no sentir culpa por no dedicar el tiempo que deberíamos a las personas que amamos. La verdadera intención de este engaño es dedicar más tiempo al sistema productivo. Vivimos un tiempo que exige muchas horas de trabajo para ganar suficiente dinero, pero esto no debe convertirse en una justificación sino en un reto a vencer.

La realidad es que no nos conformamos solamente con calidad. Si en un restaurante le sirven un corte de carne de gran calidad pero del tamaño de una moneda, ¿estaría usted conforme? Claro que no. Así es nuestra alma. Así son nuestros hijos y seres queridos. Nadie se conforma con calidad. La calidad no es suficiente, necesitamos cantidad con calidad. Dedicar tiempo es una muestra de cariño y amor. Manifiesta interés genuino por otros.

¿Fue satisfecha su necesidad de amor durante la infancia? ¿Recibió constantemente abrazos y caricias por parte de sus padres? ¿Escuchó frases amorosas? ¿Recibe usted actualmente expresiones abiertas de cariño? ¿Manifiesta su amor de manera palpable hacia sus seres queridos? ¿Cuándo fue la última vez que le dijo a su pareja textualmente "te amo"? ¿Cuántas veces al día abraza a sus hijos y les dice lo importante que son para usted? ¿Cuántas horas diarias o semanales convive con sus hijos en actividades de ellos? ¿Ha salido últimamente a tomar un café y conversar con su pareja? ¿Recuerda la última vez que salieron solos de fin de semana o vacaciones? ¿Pueden su pareja, hijos, amigos o padres afirmar que usted es una persona que les escucha atentamente?

Todos tenemos la necesidad de amar y recibir amor. En esta cualidad humana se satisfacen el resto de los requerimientos del alma para vivir sanamente. Una persona que es amada se siente segura, aceptada y respetada.

5. Identidad

He conocido personas que después de vivir por años de acuerdo a las expectativas de sus padres descubren que no son felices. Han invertido gran parte de su existencia en recorrer un camino que les lleva a un destino al que no querían llegar. Generalmente detrás de esta realidad se encuentra un pasado en el que no se respetó su identidad.

La identidad es el conjunto de características que cada persona posee y que le hacen ser distinto a los demás. Es lo que marca su individualidad. Algo increíble y maravilloso de la humanidad es que no han existido dos personas idénticas. Miles de millones han transitado por la tierra y no ha habido dos individuos iguales. Incluso en el caso de los gemelos cada uno tiene su identidad que le distingue. La identidad es la tarjeta de presentación de cada ser humano. Por lo mismo cada uno de nosotros posee el derecho a ser como somos. Podemos pensar, actuar y elegir desde nuestra particular forma de ser. Los hijos son seres distintos a papá y mamá a pesar de la tremenda influencia que los padres ejercemos sobre ellos.

Existe un hilo muy fino que separa la educación de los hijos de la violación de su identidad. Es normal y correcto que los padres deseemos transmitir nuestros valores y creencias a los hijos. Sin embargo, debemos tener cuidado de no rebasar esa delgada línea. Cuando nos pasamos de la raya imponemos, sutil o abiertamente, la manera en que queremos que nuestros hijos piensen, sientan, actúen y se desenvuelvan. Actuar así es un atentado directo contra su identidad.

Nacido para la construcción

Recuerdo a Sergio, un padre que desde que su hijo nació sabía cuál sería su profesión: ¡constructor igual que él! A lo largo de su infancia el niño recibía juguetes relacionados con la construcción. Su padre le llevaba a la oficina para que se familiarizara con su trabajo. Tadeo, el hijo, parecía responder positivamente a estos estímulos. En su juventud Tadeo trabajaba en la constructora de su padre durante las vacaciones escolares. Sergio estaba orgulloso por ver como Tadeo seguía sus pasos.

Cuando Tadeo estudiaba el bachillerato descubrió que su vocación era la odontología. Sergio se encargó de que el joven presentara exámenes de orientación vocacional con la esperanza de que recapacitara. Con trato amable y paternal conversaba constantemente con su hijo. En estas charlas insistía en que debería dedicarse a la construcción y laborar en la empresa fundada por el abuelo. La inmadurez de Tadeo y el amor que sentía por su padre le motivaron a decidirse por estudiar ingeniería civil.

A pesar de llevar buenas notas en la universidad, Tadeo decidió, dos años más tarde, abandonar sus estudios. Antes y después de su elección sufrió una fuerte crisis emocional. Este estado de angustia le llevó a salirse de la escuela durante todo un año. En ese período realizó pequeños trabajos con amigos de la familia y practicó la vagancia. Tadeo sólo sentía paz gracias a los ansiolíticos que tomaba. Un año más tarde ingresó a la facultad de odontología. Después de titularse ejerció la profesión que desde un principio había identificado como su vocación verdadera.

La libertad es la base de la identidad

Historias como la de Tadeo deben hacernos reflexionar sobre el derecho que toda persona posee de ser ella misma. Los hijos e incluso nuestra pareja son seres independientes con voluntad y deseos propios. La identidad es uno de los grandes privilegios del ser humano y refleja la libertad con que fuimos creados. Cuando actuamos como Sergio, generamos en los hijos un sentimiento de culpa por ser como son, por anhelar sus sueños. Cuando no respetamos la identidad de un ser querido corremos varios riesgos:

1. Dañar la relación.
2. Que esa persona ceda ante nuestra influencia y viva insatisfecha.
3. Que la persona resista la influencia y actúe conforme a sus deseos pero viva con culpa por no complacernos.

Cabe aclarar que existen casos, y no son pocos, en el que los descendientes realmente desean ejercer la profesión u oficio de la familia.

Errores comunes

Existen otras formas de no respetar la identidad de las personas. Dos de las más comunes son obligarles tenaz e irracionalmente a practicar tal deporte o disciplina y a juntarse con cierto amigo o amiga. Otra sumamente grave es presionar a las hijas o hijos de temperamento introvertido a comportarse como una persona extrovertida: "Sal a jugar como lo hacen todos los niños"; "necesitas ser más habladora y agradable como lo son tus amigas"; "este niño me desespera porque siempre quiere estar pegado a mí"; etc.

Una persona con temperamento extrovertido no es mejor que una introvertida, simplemente son distintas. Pedirle a alguien que modifique su temperamento es igual que solicitarle que cambie el color de su piel o de sus ojos. Por supuesto que podemos desarrollar carácter para dominar el temperamento. Somos capaces de controlar la extroversión para actuar prudentemente o destapar en cierta medida la introversión para convertirnos en personas más sociables, pero quien es introvertido siempre poseerá esa tendencia. Por su parte el extrovertido tenderá al protagonismo hasta cuando no lo desee.

Respetar la identidad de los hijos implica aceptarles independientemente de sus características temperamentales. Podemos ayudarlos a formar un carácter que les ayude a dominar su comportamiento, pero no debemos exigirles que modifiquen lo que es parte de su naturaleza e identidad. ¿Respetaron sus padres su identidad? ¿Ha elegido libremente su vocación, amistades, pareja y trabajo? ¿Se sentía aceptada o aceptado en su infancia tal y como usted era? ¿Le criticaban constantemente por ser introvertida o extrovertida? ¿Está exigiendo a sus hijos que modifiquen situaciones que son parte de su identidad? ¿Respeta la tendencia natural del comportamiento de sus hijos? Recordemos que todos tenemos el derecho de ser únicos y distintos a los demás.

Resumen del capítulo

Somos seres con necesidades emocionales que se satisfacen a través de nuestra relación con los demás. La autoestima se desarrolla sanamente cuando tenemos satisfechas las necesidades básicas del alma. Éstas son: seguridad, aceptación, respeto, amor e identidad. Aunque no nos guste la idea, somos seres necesitados e interdependientes. Así como nosotros requerimos del cariño de otros, ellos necesitan del nuestro. Por esto las relaciones humanas son tan importantes, especialmente aquéllas que se dan con quienes más queremos. A lo largo de nuestra existencia procuramos satisfacer estas necesidades pues no desaparecen con la edad. Lo más hermoso de nuestra naturaleza es que cuando nuestra alma es alimentada experimentamos el principal derecho humano: la felicidad.

Capítulo 4

El rechazo, asesino del alma

"Nada se olvida más despacio que una ofensa;
y nada más rápido que un favor".
—Martin Luther King

$\mathcal{D}$esarrollar sanamente nuestra alma y la de nuestros seres queridos no es una tarea sencilla. Hemos visto que la escasa provisión de las necesidades básicas del alma genera una autoestima endeble. Sabemos que esto repercute en nuestro comportamiento y la calidad de nuestras relaciones. Establecer buenos lazos con los semejantes es el principal reto de las familias y de toda organización humana. Lamentablemente es más fácil destruir que construir. Es sumamente sencillo derribar la confianza y sentido de pertenencia de los demás.

Hay una actitud que lacera terriblemente la autoestima humana. A este agresor le he denominado el asesino del alma. Se trata del rechazo, el cual es la antítesis de las necesidades básicas del alma. Al rechazar a alguien golpeamos directamente su necesidad de aceptación y respeto. Las heridas que provoca el rechazo son profundas y dolorosas. Como dijimos anteriormente las personas pasamos nuestra vida intentando ganar la aceptación de los demás. Cuando nos rechazan sentimos que nuestros esfuerzos han sido vanos y la inseguridad toma lugar en nuestro corazón.

El cáncer del alma

Una persona que se siente rechazada tiende a desarrollar amargura. Si el rechazo es el asesino del alma, la amargura es su cáncer. Como todo cáncer, la amargura se multiplica e invade la naturaleza emocional. Al afectar la mente y el corazón genera actitudes negativas. Dentro de las consecuencias más comunes de la amargura están el aislamiento afectivo, la rebeldía y el protagonismo negativo. Por esto último me refiero a creer y sentir que los demás desean perjudicarnos constantemente.

Junto con estas enfermedades del alma es común experimentar culpa, dureza de corazón, timidez, agresividad, deseos de venganza, inestabilidad emocional y un duro juicio contra los seres más cercanos y la sociedad en general.

Hay varias maneras de reconocer si la amargura ha tocado el corazón. Una de ellas es identificar si existe incapacidad para dar y recibir expresiones de cariño. Esto lo vemos cuando alguien rechaza que le abracen. Si alguien intenta manifestar su cariño con un abrazo, estas personas desean desaparecer. Ante el contacto físico sus hombros se endurecen y se sienten sumamente incómodas. Tienen miedo de recibir y dar expresiones de cariño.

El aislamiento afectivo

La razón principal por la que un corazón amargado evita abrirse a relaciones afectivas es temor al rechazo. Quien vive con amargura abrió su corazón, lo puso a disposición de alguien más y en lugar de cariño recibió agresiones. Tal es el caso cuando un ser querido nos engaña, critica o muestra indiferencia. Para evitar que esto vuelva a suceder la naturaleza humana echa a andar un mecanismo de defensa para protegerse de otra desilusión.

Cuando el corazón se cierra para evitar ser herido nuevamente, también elimina la posibilidad de recibir expresiones de cariño sinceras. Imagine la palma de su mano extendida y dispuesta para recibir. De pronto en lugar de obtener algo bello recibe un golpe que la contrae. La palma abierta se transforma en un puño cerrado con los dedos apretados. En esta posición no existe ni un hueco por donde pueda penetrar algo. Así se pone un corazón que ha sido lastimado. De esta manera queda un alma que ha vivido bajo el rechazo.

Un alma cerrada pierde su capacidad para tomar y dejar ir. Una persona con amargura no puede recibir expresiones de bondad. Tampoco las ofrece pues teme que le vuelvan a lastimar y prefiere no correr el riesgo. Así, una persona que fue creada para dar y recibir afecto se priva de ese derecho y privilegio. Sus relaciones se tornan incompletas, protocolarias y por lo mismo insatisfactorias. A esta actitud ante la vida la he denominado "aislamiento afectivo". Este es el caso de personas muy reservadas. Su inexpresión llega a convertirse en parte de su personalidad. Incluso su comunicación afectiva con su cónyuge e hijos es prácticamente ninguna.

Conviene aclarar que hay personas de temperamento introvertido que tienden a ser poco cariñosas y que no necesariamente sufren aislamiento afectivo. Simplemente su introversión limita su expresión. Pero esto puede cambiar cuando el individuo convive con personas expresivas y afectuosas.

Casos de dureza

El siguiente caso me sorprendió sobremanera. Carlos es un hombre de cuarenta y tantos con más de 19 años de matrimonio. Olivia, su esposa, se quejaba de que él era poco cariñoso, pero su inexpresividad alcanzaba niveles extremos. El temor de Carlos a relacionarse con los demás era tan grande que lo transmitía su familia. Constantemente se enojaba cuando Olivia saludaba a las demás personas. Más que una situación de celos, le molestaba que perdiera tiempo conversando. Él mismo evitaba encontrarse con la gente.

En repetidas ocasiones he tenido consejerías de aislamiento afectivo. Las parejas de quienes padecen este mal sufren la falta de cariño de su cónyuge. El aislamiento afectivo lo encontramos tanto en hombre como en mujeres sin importar su edad. Los individuos que padecen este síndrome generalmente ignoran que su actitud perjudica a su familia. Confunden la necesidad de amor de los suyos con cursilería. Esconden su temor a abrirse con argumentos como: "así soy yo", "mi naturaleza es reservada", "por qué se quejan si no les hago mal alguno", etc. Su amargura les roba la libertad para disfrutar sus encuentros con los demás. Se resisten a recibir manifestaciones abiertas de cariño y son inexpresivos incluso durante sus relaciones íntimas.

Un problema con solución

Quienes conviven con quien padece aislamiento afectivo corren el riesgo de caer en un círculo vicioso, pues ahora son ellos quienes experimentan el rechazo y empiezan a cerrar su corazón. ¿Qué hacer en estos casos? Aunque más adelante abordaré el tema con detenimiento le diré por lo pronto que sí se puede romper este sistema negativo. Salirse de él requiere un gran compromiso y deseo por parte de quien esta conciente del proceso (seguramente usted, estimado lector o lectora), así como mantenerse pegado o pegada a una fuente de amor que le provea de la fortaleza emocional para seguir adelante.

Los grupos de autoayuda cumplen esta función de respaldo para quienes desean romper cualquier círculo vicioso. Igualmente lo hacen las iglesias que operan como verdaderas comunidades de apoyo y por supuesto el tener una relación personal con Dios. Quien experimenta una comunión constante con el Creador se convierte en un depósito del "agua viva". Conocer a Dios sacia la sed del alma y brinda fortaleza interior y esto es lo que más necesita una persona para sostenerse mientras decide invertir en una relación agotadora.

Rebeldía y agresividad

La amargura también se manifiesta a través de rebeldía y agresividad. La agresividad no es solamente violencia física. También podemos atentar contra los demás con nuestra vestimenta, la manera de hablar y con actitudes que sabemos que les molestan. En ocasiones la búsqueda frenética del éxito es una forma de agresión. Hay quienes dedican su vida a superarse material o socialmente para demostrar a quienes les dañaron que merecían su respeto y admiración.

Estas personas son movidas en su interior más por un deseo de venganza que de superación. Invierten su tiempo y esfuerzo en sobresalir para llamar la atención de quienes les aplastaron o fueron indiferentes ante sus necesidades emocionales. Los estilos de obtener el reconocimiento de sus "ofensores" varían dependiendo de la cultura de cada individuo. Algunos lo hacen alcanzando puestos de eminencia o riqueza económica. Otros lo intentan mediante acciones suicidas o terribles crímenes que les permitan ser protagonistas y llamar la atención. En ocasiones la rebeldía se disfraza de justicia. Esto sucede cuando detrás de los intentos por establecer equidad está el deseo de vengarse por haber sido rechazado.

Buscar soluciones no culpables

Las actitudes que lastiman a la gente pueden ser planeadas o no, pero el resultado es el mismo. Cuando alguien nos rechaza no necesariamente tiene la intención de hacerlo. Esto es similar a cuando ocurre un accidente y alguien sale lesionado. Lo más importante no es quién provocó la tragedia, sino atender a las personas que resultaron heridas. Quizás quien generó el percance jamás se enteró de lo sucedido. Pero es un hecho que alguien salió lastimado y hay que sanarle.

Cuando reflexionamos sobre nuestro pasado encontramos seres humanos que nos rechazaron. Incluso algunos de ellos quizá lo hicieron con intención. A pesar de ello nuestro enfoque debe estar en qué podemos hacer para salir adelante a pesar de lo sucedido, no en a quién debemos responsabilizar. Buscar culpables no resuelve el problema, sólo agrega rencor al pesado costal que cargamos.

Fuentes del rechazo

Podemos catalogar las diferentes fuentes de rechazo en dos grandes grupos: sociedad y familia. Ambas se forman por diferentes subgrupos. En la sociedad encontramos como origen del rechazo a las instituciones y a los medios masivos de comunicación. Dentro de las instituciones tenemos las educativas, laborales, religiosas y militares.

En los medios de comunicación el rechazo se crea a través de los patrones de aceptación social que se promueven en los mensajes de la mayoría de las publicaciones, películas, series de televisión, internet y la radio. En cuanto a la familia tenemos dos grandes divisiones: la familia nuclear (cónyuge e hijos) y la familia extendida (padres, hermanos, abuelos, familia política, tíos, primos, etc.)

El impacto y repercusiones que tienen las diferentes fuentes de rechazo dependen del valor e importancia que tiene en la vida del afectado la persona que lo genera. También influye la frecuencia y magnitud de las agresiones. Un abuso sexual, por ejemplo, aunque sea perpetrado por un desconocido, es una agresión que afecta demasiado por la gravedad del acto. Obviamente si el abuso es cometido por un ser querido la profundidad del dolor es mayor.

Por otra parte el temperamento, carácter, cultura y calidad de relaciones que una persona posee son otra variable que determina la gravedad, consecuencias y velocidad de recuperación en cada caso. Por lo mismo dos personas que hayan sufrido agresiones similares suelen tener repercusiones distintas en muchos sentidos. Mientras que en una el evento puede producir un trauma grave, en la otra puede ser más leve.

Analicemos con más detalle las distintas fuentes del rechazo para identificar cuáles de ellas han erosionado nuestra alma así como para evitar que lastimen los corazones de nuestros seres queridos.

Fuentes sociales de rechazo

Todas las instituciones son un sistema social de interrelación que poseen su propia cultura, reglas y sistema de premios (aceptación) y castigos (rechazo). Esto sucede en las iglesias, clubes sociales y deportivos, pandillas, grupos escolares, comunidades laborales y cualquier organización en la que participen regularmente más de dos personas.

Los grupos de adolescentes castigan socialmente al que no viste las prendas de moda del momento. Si un jovencito no usa el tipo y marca de ropa que la mayoría "debe" portar, experimenta cierto rechazo por parte de sus compañeros. Entonces se sentirá presionado a buscar la aceptación del grupo mediante vestir de acuerdo a las reglas de su pequeña comunidad.

En una pandilla quien no tiene el valor para delinquir es relegado. En las iglesias suele rechazarse a quien no participa en sus actividades al ritmo, intensidad o estilo que los líderes de la organización han establecido. El rechazo puede manifestarse a través de ignorarles o catalogándoles como parroquianos de segundo o tercer nivel. Quienes forman parte de un equipo deportivo y no se desempeñan a la altura de las expectativas de sus compañeros suelen sufrir cierto desprecio a través de burlas y bromas.

En síntesis, toda organización social establece reglas, escritas o no, que marcan la pauta del comportamiento que sus miembros deben seguir para ganar la aceptación del grupo. Cuando alguno de sus integrantes no cumple con estos parámetros recibe el rechazo de los demás mediante castigos que el sistema o liderazgo de la institución ha determinado. Si sucede esto a una persona que realmente estima a su comunidad y se encuentra comprometida con ella, el golpe emocional es muy fuerte y daña profundamente su necesidad de aceptación y pertenencia.

Lo mismo pasa a las personas que, aunque no estén tan integradas a la institución, tienen una autoestima baja porque ya han sido rechazadas en otras partes y esperaban encontrar en ese grupo el apoyo y respeto que su alma requiere. Recordemos que somos seres intrínsecamente sociales. Buscamos y necesitamos la convivencia y aceptación de los demás para desarrollar la autoestima y fortalecer nuestro ser emocional. La auto aceptación está determinada grandemente por el reconocimiento y respeto que los demás muestran hacia nuestra persona. De allí la importancia de las instituciones en la vida de todo ser humano.

La influencia de los medios de comunicación

Respecto a los medios masivos de comunicación su grado de influencia se ha incrementado en la misma medida en la que ha crecido su importancia en las sociedades actuales. Hoy día es evidente cómo los líderes de opinión de una comunidad son las personas que aparecen en la televisión o cualquier otro medio masivo de comunicación. El sistema comercial-económico ha establecido mediante penetrantes y permanentes campañas de publicidad nuevos parámetros de aceptación y reconocimiento social.

Tanto niños como adultos estamos inmersos en un sistema de valores materialista. Este modelo nos dice que para ser personas valiosas debemos poseer los bienes, comportamientos y atributos físicos que tienen los "héroes" y "heroínas" de los medios. El prototipo físico que el cine y las publicaciones de la farándula promueven tiene un nivel de exigencia sumamente alto para ambos sexos. Por lo tanto, no es de extrañar que la bulimia y la anorexia sean un problema de salud en varios países entre las adolescentes.

Según esta cultura un hombre exitoso es irresistible para las mujeres, tiene un automóvil último modelo y ha desarrollado su físico de tal forma que los alumnos de sexto grado pueden identificar en su cuerpo todos y cada uno de los músculos que lo forman. Por su parte la mujer valiosa requiere ser una mezcla de ejecutiva independiente, romanticismo salvaje y "Barbie" de aparador con el busto grande y cintura pequeña.

Gordas flacas

Hace varios años Gaby y yo nos sorprendimos cuando una de nuestras hijas, entonces con 6 años de edad, se resistía a usar una blusa. Decía que se veía "gordita" con esa prenda. Nuestra sorpresa no radicaba en el hecho de querer lucir esbelta, sino en que su cuerpo era el de una niña delgada. Conversando con ella descubrimos de dónde venía su idea de que estaba excedida de peso. Nos comentó que en la televisión vio varias veces un comercial que promueve un artículo para obtener un mejor cuerpo. En el anuncio la modelo que se aplicaba el producto estaba más delgada que ella y aún así necesitaba adelgazar.

Después de ver el comercial entendí su lógica. Una mujer en bikini, con un cuerpo envidiable para los parámetros actuales, se untaba el producto en su esbelta cintura mientras se escuchaban los beneficios de lucir bella y delgada. La modelo, sin un gramo de grasa en su abdomen, se convirtió en el parámetro de un buen cuerpo para mi hija. En su mente toda figura femenina que rebasara esas medidas pasaba a formar parte del mundo de las gordas.

Imagine la influencia que tienen estos mensajes en una generación sobre expuesta a los medios de comunicación. Este tipo de valores y otros peores se transmiten en anuncios publicitarios, series de televisión, películas, revistas y hasta en la música. Además consideremos la cantidad de horas al día que estamos expuestos a éstos. Si un comercial generó tal impacto en una niña de seis años que no está expuesta a la competencia vanidosa de los años de la adolescencia, ¿qué efectos tendrán esta lluvia de mensajes en jovencitas de dieciséis años de edad?, ¿cómo se sentirá una señorita que realmente está pasada de peso o no reúne los requisitos físicos de las modelos del mundo del cine?; ¿cómo será catalogada entre sus compañeros de clase?; ¿cómo repercute esto en su seguridad interior y autoestima? Nos guste o no los medios han establecido una cultura con muchos estereotipos nocivos.

En un grado u otro todos participamos del juego. Buscamos incrementar nuestra seguridad y sentido de aceptación adquiriendo los bienes o forma de vida que promueven los medios de comunicación. Incluso cuando nuestra situación económica nos impide vivir a ese nivel nos auto devaluamos. Nos consideramos incapaces de hacer y tener lo que se supone una persona de nuestra edad, cultura y medio social debería alcanzar. Con todas sus fantasías materiales y cuerpos de silicón, los medios de comunicación se han convertido en un fuerte parámetro contra el cual comparar y medir nuestra felicidad y éxito en la vida. Es por esto que han pasado a ser una amenaza contra la autoestima de millones de personas que se sienten rechazadas por una sociedad que respalda esos prototipos.

Hay maneras de salir de la trampa

Podemos contrarrestar esta fuerte influencia a través de reconocer la falsedad del sistema. También ayuda tener una fuerte aceptación familiar y de los grupos de pertenencia social de los que formemos parte. Lamentablemente la mayoría de las asociaciones adoptan la propuesta de los medios masivos como parte de su filosofía de vida. Esto no significa que debemos vivir aislados del mundo; sino que debemos desarrollar la suficiente conciencia para no caer en la trampa de los medios. Actuar con base en lo que creemos y no en lo que hace la mayoría es la clave. No es fácil, pero es la manera de no caer en el juego.

A pesar de lo anterior no es la presión social la principal fuente de rechazo de la mayoría. Los factores sociales tienen fuerte influencia en nuestro orgullo, pero no son seres queridos. Son modelos. No nos relacionamos con un anuncio publicitario o una película. Los mensajes masivos tienen influencia, pero no nos encariñamos con ellos. No tienen en nuestra alma el peso que poseen nuestros amigos y las personas que forman nuestra familia. Son ellos quienes representan la fuente de rechazo de mayor peso en la vida.

La familia como fuente de rechazo

Las personas que más queremos son las que más nos lastiman. Si nos ofende alguien sin importancia para nosotros, sus palabras o acciones no tienen gran peso. Pero si esa agresión proviene de alguien que amamos el golpe es fatal. Cuando un compañero de trabajo me dice que mi desempeño laboral no es muy bueno, sus palabras me lastiman levemente; pero si esas mismas palabras salen de la boca de mi cónyuge o de mis padres, la herida del alma es mayor. La influencia de la familia sobre nuestra autoestima es muy fuerte. La razón es que los primeros años de vida se desarrollan en el seno familiar. Y es durante este tiempo cuando recibimos la información que determina en gran medida la opinión que desarrollamos sobre nosotros mismos.

Dentro de la familia son los padres los que ejercen un mayor impacto sobre los miembros de la misma. De allí que a ellos se les considere como los principales culpables de las heridas internas de los hijos. Recordemos nuevamente que esto no quiere decir que actúan con la finalidad de lastimar. Las heridas más fuertes y las motivaciones más grandes las recibimos durante la infancia. Por eso debemos identificar cuáles fueron las acciones que interpretamos como rechazo que dañaron nuestra alma y que, probablemente, continúen afectando la autoestima y la calidad de nuestras relaciones.

Existen situaciones típicas que generan amargura en quienes las reciben, en este caso los hijos. Mencionaré algunas de ellas con un doble propósito. El primero es reconocer si fuimos afectados en el alma. El segundo es evitar cometer errores con nuestros hijos y seres queridos. Si ya lo hicimos veremos como trabajar para reducir y eliminar el daño que ello les haya causado. Debemos reconocer que así como las personas que más nos lastiman son aquéllas que más amamos, también nosotros dañamos más profundamente a quienes más nos quieren.

Las seis formas más comunes de provocar una sensación de rechazo en los miembros de la familia:

1. Sensaciones fetales

Varios autores afirman que desde que el bebé se encuentra en el vientre de la madre recibe información acerca de si es querido o rechazado. Por supuesto que no escucha y comprende las palabras que sus padres hablan sobre él, pero percibe sensaciones agradables o desagradables que afectan su desarrollo. La medicina y psicología cada vez ponen más atención en la etapa fetal de la vida y en cómo determina en buena medida el desarrollo físico, mental y emocional que tendremos a lo largo de nuestra existencia.

Es difícil conocer qué vivieron nuestros padres cuando estábamos por nacer. Pero podemos recordar nuestras actitudes en el tiempo en que nuestros hijos se formaban en el vientre materno. ¿Fueron tiempos de paz y tranquilidad? ¿Experimentábamos alegría y gozo por la llegada del bebé?

2. Adicciones

Cuando uno de los progenitores se encuentra atrapado en las garras de alguna adicción la lectura que sus seres queridos suelen hacer del problema es el rechazo. Ya se trate de alcohol, drogas o el juego, la constante de las adicciones es que se lastima a los familiares. Ellos no entienden por qué su ser querido no renuncia a la adicción a pesar de saber que eso les duele. Entonces interpretan que es más importante el vicio que ellos. Su corazón se daña por no recibir el primer lugar en el afecto de la persona que aman.

La persona adicta requiere ayuda y comprensión por parte de su familia. Sin embargo, aunque lo entienden siguen sintiéndose rechazados. El corazón humano no siempre comprende razones. ¿Alguno de sus padres tenía problemas de adicción cuando usted era un infante o adolescente? ¿Se separó su familia por causa de la adicción de alguno de sus progenitores? ¿Se generó violencia debido al consumo de alcohol o droga? ¿Tiene usted o su cónyuge problema con la bebida, el juego o las drogas?

3. Ausencia de padre o madre

Este factor además de fuerte es sumamente injusto. La ausencia de papá o mamá lastima de sobremanera el corazón de los hijos sin importar cuál sea la razón de dicha pérdida, incluyendo la muerte. Fuimos creados con la necesidad del cariño paterno y materno. Cuando carece de alguno de ellos nuestra alma se debilita. Además, no podemos evitar la comparación con otros niños que sí poseen la dicha de contar con sus padres.

Cuando la falta de uno de los padres se debe al divorcio la herida suele ser más fuerte. En el fondo el hijo suele interpretar que para sus padres fue más importante la separación que el cariño que sentían por él. Esto no significa que un mal matrimonio sea mejor que un buen divorcio, o que las secuelas de las peleas entre la pareja no afecten tremendamente a los hijos. Lo que es un hecho es que cuando se vive una separación matrimonial se lastima profundamente el corazón de los hijos, nos guste o no. A pesar de ser algo injusto, esto sucede y debemos tomarlo en cuenta para trabajar en la sanidad interior de los niños que viven la separación de sus padres.

Culpable de morir

Roxana, una señora joven, tenía problemas de relación con su pareja y uno de sus hijos. Cuando ella era pequeña su padre falleció en un accidente. Ese fue un tiempo duro para toda la familia, incluyendo su madre. Cuando Roxana tenía quince años de edad su madre falleció afectada por cáncer. A partir de ese día ella y sus hermanos quedaron prácticamente solos frente al mundo. A pesar de entender que su mamá había muerto por una enfermedad, no podía perdonarle que los hubiera abandonado cuando tanto la necesitaban. Roxana comprendía que no había razón alguna para molestarse pero a pesar de eso continuaba resentida hacia ella.

Seguramente la mamá de Roxana sufrió mucho antes de morir. Era conciente que dejaba a sus hijos desamparados. No era su intención lastimarlos. Roxana se sintió abandonada y traicionada. Racionalmente podía entender que su mamá no murió a propósito, pero, como comenté anteriormente, en ocasiones el corazón no entiende de lógica. Su alma fue lastimada por una madre ausente que jamás quiso irse.

4. Crítica y comparación

Cuando la gente recibe crítica de sus padres, amigos o pareja, experimenta dolor interior. La crítica constante es una agresión que compara a las personas con otras haciéndoles sentir poco valiosas. "Mira que mal haces las cosas", "eres un flojo", "te ves horrible", "que feo te vistes", "haces mal tu trabajo", "tanto esfuerzo que inviertes para no tener resultados", "eres un bueno para nada".

Estas expresiones detractoras son sumamente comunes. Nos acostumbramos a ellas y pensamos que no afectan a quienes las reciben. Pero no es así. La boca tiene poder para levantar o destruir autoestimas.

El poder de las palabras

Las palabras penetran hasta lo más profundo del corazón cuando surgen de los labios de una persona que amamos. Criticar el desempeño de su hijo en el juego de fútbol o de la hija al bailar o tocar un instrumento musical, provoca que se consideren a sí mismos como incapaces de alcanzar logros y tienden a menospreciarse. Seguramente el Rey David tenía estas ideas en mente cuando escribió en uno de sus Salmos: "Pon guarda a mi boca, oh Señor, guarda la puerta de mis labios". Igualmente su hijo, el sabio Rey Salomón redactó en uno de sus famosos proverbios: "la lengua apacible es árbol de vida, mas la perversidad de ella es quebrantamiento de espíritu".

Señalar repetidamente los errores o deficiencias de los demás lleva al suelo su autoestima y no resuelve la situación. Si deseamos comunicar a otros nuestro desacuerdo con su comportamiento debemos cuidar las palabras que utilizamos. Una manera sencilla de resolverlo consiste en separar lo que la persona es de sus acciones. Por ejemplo, en lugar de decir a mi hija que *es* una niña sucia, le puedo comentar que *ha ensuciado* su ropa. Al niño, en vez de indicarle que es un maleducado o desobediente le puedo reprender porque se ha portado mal o ha desobedecido. La intención radica en corregir sus actos no su forma de ser. El objetivo es que identifiquen que no *son* malos, sucios o desobedientes. Si no que *actuaron* mal, se ensuciaron o desobedecieron, pero no *son* eso. Al marcar esta diferencia los niños identifican que lo que se critica he intenta corregir son sus acciones, no su persona.

Otro error es comparar a los hijos con sus hermanos, primos, amigos o compañeros de clase: "deberías tener las calificaciones de tu amiguito"; "ojalá pudieras comportarte como lo hace tu hermana"; "parece que tus primos se llevaron los dones y a ti sólo te quedaron las sobras"; "te vistes horrible, deberías arreglarte como lo hace tu amiga", etc. Hablamos este tipo de frases deseando modificar algunas conductas de los jovencitos. Pero la realidad es que es mayor el daño que provocamos que el beneficio que podemos obtener. Al escuchar estas afirmaciones los niños y niñas interpretan que no son tan valiosos como las personas con quien les comparamos. Piensan que no son dignos de reconocimiento hasta que alcancen el nivel de desempeño que tienen sus primos o amigos "perfectos". Siendo sinceros los adultos también nos ofendemos cuando nos comparan con alguien más. Recordemos que la edad no mengua nuestras necesidades del alma, sólo modifica algunas de las formas y personas a través de las cuales las satisfacemos.

5. Promesas incumplidas

Un punto importante que también se relaciona con nuestra boca y las palabras que salen de ella son las promesas. Es importante cumplir lo que prometemos, especialmente cuando el compromiso es expresado a nuestros seres queridos. Al respetar nuestras promesas no sólo ganamos el prestigio de ser personas íntegras, sino que hacemos sentir a los demás lo importantes que son para nosotros. Actuar así es intentar satisfacer sus expectativas.

El paseo prometido

Joaquín prometió a su hijo llevarlo de paseo al campo el sábado. El niño está emocionado desde el lunes. Cada noche cuenta los días que faltan para tener su gran aventura con papá. Cierra sus ojos deseando que al despertar hayan pasado tres o cuatro días. Anhela lo que su padre le ha prometido. Conforme los días transcurren el niño va creciendo en entusiasmo. Limpió sus botas. Preparó su mochila. Ha reunido todo lo indispensable: una linterna de mano, fósforos para la fogata, brújula y su navaja de explorador. Su expectativa es grande. Se aproxima el gran día con papá en el campo. El viernes en la noche se va temprano a la cama para poder madrugar.

Por su parte Joaquín ya olvidó la promesa e incluso hizo una cita de negocios para ese día. El sábado antes del amanecer, con la mochila en su espalda y los ojos radiantes, el pequeño despierta a su papá.

—Tendremos que dejarlo para otro día. Tengo trabajo – Las palabras de Joaquín borraron inmediatamente el destello de los ojos del niño.

—Pero papá, prometiste que iríamos al campo.

—Lo sé, pero primero es lo primero. Tengo que trabajar. Ni modo.

Sin decir una palabra el chiquillo regresa a su recámara. Se mete en las sábanas y solloza en silencio. Imagine lo que puede experimentar el corazón de un niño o niña ante una situación así. Probablemente para un adulto sea un acontecimiento intrascendente. Para una jovencita o adolescente no es así. Papá no cumplió su palabra. Faltó a su promesa. Ha demostrado que no es una persona digna de confianza y que los negocios son su prioridad.

Si Joaquín hubiera cumplido lo prometido la auto-estima de su hijo se hubiera fortalecido. Papá detuvo el mundo de los negocios para estar conmigo. Soy importante para papá. Mi padre me ama. Puedo confiar en él pues cumple lo que dice. Además, cuando hay congruencia entre nuestras palabras y nuestros actos generamos confianza en quienes nos rodean y la confianza es el pegamento que sostiene unidas a las personas. Es el vértice sobre el que descansan las relaciones.

Donde existe confianza hay seguridad. Piense en una persona de la que desconfíe. ¿Cómo es esa relación? ¿Puede usted expresar todo lo que piensa y siente? ¿Se atreve a depender de esa persona? Ahora recuerde a una persona en la que confía plenamente y hágase las mismas preguntas. El contraste es obvio. La segunda es una relación fuerte en la que puede abrir su corazón sin temor a que las palabras sean usadas posteriormente en su contra. Ambas partes pueden comportarse tal como son. Es una relación libre porque está cimentada en la confianza. No hay temor. Por el contrario con la primer persona que pensó no puede expresar sus ideas sin antes analizar si es conveniente decirlo. Siente que camina sobre vidrios. Tiene que cuidar cada paso que da. Simplemente no puede confiar en la otra parte.

6. Disciplina del rechazo
Algunas personas aplican como método de disciplina la ley

del hielo, consistente en retirar el habla y atención a quien se desea castigar. Esta técnica de corrección es un dardo letal para la autoestima de las personas. Es muy común recurrir a ella, pero es veneno puro para el corazón.

Cuando alguien nos lleva hasta el límite de nuestra paciencia podemos reaccionar impidiéndole que se nos acerque o nos dirija la palabra. Les decimos que no queremos escucharle más. Ni siquiera nos interesa conocer su opinión. Respuestas como esta lastiman profundamente a la gente. La indiferencia es quizá el peor de los castigos para el corazón humano. Cuando alguien nos trata así nos está diciendo que no valemos lo suficiente para siquiera ser escuchados. Entendemos que nuestra presencia es desagradable y nos ofendemos.

En la corrección a los hijos es preferible establecer un castigo y regañarles a tratarles con silencio y apatía. Entre los matrimonios también es común encontrar este tipo de reacciones. Sé de parejas que pueden dejar de hablarse por días. Incluso llegan a olvidar cuál fue la razón de su enojo y continúan sin comunicarse con su cónyuge.

La indiferencia es una muestra de rechazo que lastima a las personas y erosiona las relaciones. Dejarse de hablar garantiza que la molestia se agudizará y cada vez será más difícil de resolver. De hecho la mayoría de los problemas y diferencias entre la gente pueden resolverse conversando. Además el silencio se convierte en un auto castigo. Nos privamos nosotros mismos del privilegio de relacionarnos con quienes amamos y prolongamos el período de incomodidad.

El rechazo y nosotros

Hemos identificado las diferentes fuentes de rechazo que pueden afectar nuestra vida. Vimos que el rechazo genera amargura y que ésta es el cáncer del alma. Sabemos que un alma enferma tiende a desarrollar relaciones humanas pobres. Sin duda hemos sido víctimas de quienes más queremos y verdugos de quienes más nos aman. Tal vez mientras leía las páginas anteriores recordó situaciones de su vida que no son agradables. Eventos de su niñez, juventud, o incluso de esta misma semana, que han marcado su corazón. Quizá hasta sintió coraje al pensar en algunas de ellas y se pregunta qué hacer ahora con lo que hay en su interior.

La buena noticia es que tenemos la capacidad de cambiar y mejorar nuestra calidad de vida. Pero debemos decidir hacerlo y dar los pasos necesarios. Hay una factura que pagar. Existe un camino que recorrer, el cual, aunque en ocasiones es estrecho y sinuoso, nos lleva a un destino satisfactorio. Este sendero inicia con el reconocimiento de nuestras necesidades y heridas del alma.

La sinceridad es el punto de partida

Quien no está dispuesto a admitir que ha sido lastimado y que su autoestima está fracturada, no podrá alcanzar solución alguna. Imagine un paciente que no quiere decir al médico qué le duele. Cuando el doctor le ausculta y toca una región que produce dolor finge bienestar. Se niega a reconocer los síntomas y calla. Ante una actitud así el médico no podrá hacer un diagnóstico adecuado y obviamente su prescripción no resolverá la situación. De la misma manera funciona la sanidad interior. Necesitamos reconocer los resentimientos y las situaciones que nos producen dolor.

Mientras no tengamos el valor para admitir que hemos sido lastimados continuaremos con esas heridas. Identificar los síntomas es el primer paso del recorrido hacia la libertad interior. Para alcanzar este objetivo necesitamos realizar un ejercicio que le explicaré más adelante. Es importante que antes de practicar cualquiera de los ejercicios del libro lea y comprenda claramente el siguiente capítulo. Eso le dará una idea completa del proceso de sanidad y entenderá mejor la razón e intención de cada ejercicio.

Si ha decidido caminar el sendero hacia la sanidad interior requerirá sinceridad absoluta consigo mismo o misma. Al final de este camino se encuentra la paz interior, una mejor autoestima y relaciones más sanas. Para avanzar en este viaje interior le invito a leer con atención el siguiente capítulo. En él se muestra la solución para sanar las heridas del alma.

Capítulo 5

El poder liberador del perdón

*"El amor cura a la gente,
a quien lo da y a quien lo recibe".*
—Dr. Karl Menninger

$\mathcal{E}$ s tiempo de entrar en propuestas de solución. Quizá la solución que propondré no es muy agradable. Lo valioso es que funciona. Muchas personas buscan soluciones rápidas y cómodas a los problemas que enfrentan. Hemos crecido en la cultura de lo instantáneo. Nuestras dudas, inquietudes y necesidades suelen resolverse a la velocidad del internet, el teléfono y el horno de microondas. Aunado a esto, la vida moderna promueve la comodidad y búsqueda de soluciones con el mínimo esfuerzo. Estamos acostumbrados al servicio a domicilio, el elevador y la computadora portátil. Creemos en artículos para adelgazar sin hacer ejercicio. Compramos libros y programas de superación que nos dicen que aplicando algunas sencillas técnicas la vida cambia por completo en menos de veinte días.

La realidad es que este tipo de remedios inmediatos suelen ser inefectivos a largo plazo. Me encantaría decirle que si aplica las ideas que le voy a mostrar jamás volverá a tener problemas con las personas. Que en menos de tres semanas su autoestima será tan fuerte y sólida como la del león que reina sobre la manada. Pero es mentira. Por supuesto que daré propuestas de solución; pero éstas requerirán esfuerzo de su parte. Le exigirán hacer a un lado su orgullo y luchar por vencer el rencor y deseo de venganza que surge cuando nos lastiman.

La sanidad interior no es un estado que se alcanza de un día para otro. Es una manera de vivir que nos permite salir adelante y disfrutar de la vida y las personas que amamos a pesar de las diferencias y errores que enfrentamos constantemente. La sanidad del alma depende más de una suma constante y permanente de decisiones que de una fórmula milagrosa. Aunque debo reconocer que tiene un poco de ello. Lo maravilloso del proceso de sanidad que veremos es que podemos aplicarlo en prácticamente cualquier circunstancia de la vida en la que salgamos lastimados. Ha sido utilizada durante siglos en diferentes naciones y continentes. La han practicado y enseñado los más grandes seres humanos que han pisado la tierra. Dejemos a un lado estas advertencias para entrar de lleno en el estudio de los factores que pueden brindar mejoría a nuestro ser interior.

La clave para ser libres

A lo largo de mi práctica como consejero he aprendido que la mejor manera, si no es que la única, de sanar las heridas del alma es a través del perdón. Perdonar no es algo sencillo. La razón principal por la que tenemos problemas para perdonar es que ignoramos lo que realmente es el perdón. Nos han enseñado mal acerca de él. La mayoría de las personas realmente desea perdonar a los ofensores, pero no sabe cómo hacerlo. Por lo mismo arrastran heridas del pasado de una relación a otra y a pesar del paso del tiempo. Es importante explicar qué es y qué no es el perdón. A continuación veremos su significado y características, así como una manera de aplicarlo a nuestra vida para desinfectar esas lesiones emocionales que han erosionado nuestra autoestima y la de nuestros seres queridos.

Diez puntos claves del perdón

1. El perdón es un proceso
El perdón es el tratamiento que restaura las cortadas y do-

lencias que padece el corazón humano. Su funcionamiento no es como el de una aspirina o ansiolítico que calman el dolor y reducen la ansiedad minutos después de haberlos tomado. Se asemeja más a una terapia física que restaura progresivamente.

Tiempo atrás mi esposa padeció una molestia crónica en una de sus rodillas. Después de que le practicaron una artroscopia se sometió a una fisioterapia. El proceso del tratamiento fue algo extraño. Algunos de los ejercicios producían molestia mientras que otros, mucho más simples, parecían no tener sentido ni efecto alguno. Para Gaby el proceso fue desagradable. Para empezar era doloroso que le removieran justo donde le habían hecho la cirugía. Se había operado para que ya no le doliera su rodilla y ahora los mismos terapeutas le provocaban malestar justo donde ya no quería que le doliera.

Además para lograr que su pierna se recuperará rápidamente necesitaba ser constante en sus terapias, las cuales no concluían al salir del consultorio. Debía realizar en casa ciertos ejercicios varias veces al día. En otras palabras tuvo que disciplinarse para seguir y practicar una rutina de movimientos y, estará de acuerdo conmigo, la disciplina no es un atributo divertido para muchos de nosotros. Sin embargo, si realmente deseaba recuperarse debía acatar esas indicaciones incluso cuando nadie le supervisaba. Algo similar es el proceso de sanidad interior a través del perdón.

Perdonar no es algo sencillo. Es todo un proceso que empieza reconociendo que tenemos una o varias heridas en el alma. El siguiente paso es realizar la cirugía. Esta es quizá la parte más dolorosa y difícil de enfrentar. Es la que arranca todo aquello que provoca que nuestro sistema afectivo se infecte constantemente. Con esto pretendo decirle que no espere que el sentimiento de coraje contra quien le ofendió desaparezca unos instantes después de perdonar. El perdón es un proceso y como tal lleva tiempo para borrar las emociones que experimentamos.

2. El perdón es injusto

Para empezar debemos entender que el perdón no es justo. De hecho su esencia descansa en la injusticia, pues se centra en pasar por alto la falta. Por eso comenté que el proceso de restauración del alma no es fácil y requiere de madurez, humildad y fortaleza espiritual. Contrario a esto, varias sociedades enseñan que antes que el perdón debe estar la "justicia". Sin embargo, muchas veces la justicia es la manera social aceptada de cobrar venganza.

Recuerdo una serie de televisión que catalogaba a los personajes que perdonaban a su prójimo como personas sin carácter que se dejaban aplastar por los demás. En los diálogos se les tachaba de seres humanos sin dignidad que permitían que los demás abusaran de ellos. Solían ser personajes irracionales, retrógrados y un poco tontos.

Entiendo que hay situaciones en las que debemos impedir que otros pisoteen nuestra dignidad y la de cualquier ser vivo, pero esto no es contrario al perdón. Una sociedad que hace caso omiso de los delitos y se olvida de la justicia se convierte en una anarquía. Estas sociedades se rigen por la ley del más fuerte. Obviamente nadie quiere vivir en un lugar así. Es indispensable establecer equidad social. Pero el ser humano que sólo pretende establecer justicia y hace a un lado el perdón tendrá una vida aislada y llena de amargura.

Para nuestra naturaleza humana resulta más gratifi-cante la venganza, pues nos sentimos compensados. Se requiere más valor, dominio propio y carácter para perdonar que para vengarse. Además la justicia y la venganza no producen sanidad del corazón, ni restaura la relación con quien nos lastimó.

Veamos una situación como muestra. Cuando alguien es lastimado por la autoridad de su grupo de pertenencia suele ausentarse por un tiempo de toda la comunidad, no sólo de quien le perjudicó. Si posteriormente se involucra en otra agrupación tiende a desconfiar de los líderes. Por lo mismo limita considerablemente su participación. Su antigua apertura emocional ha disminuido debido a su experiencia previa. Lo mismo sucede con quien termina una relación amorosa en la que se sintió traicionado. Al empezar un nuevo romance lo hace con miedo. Su capacidad de entrega emocional y confianza es menor, afectando la relación al grado de no poder madurarla o desarrollando una vida de celos, discusiones y reproches constantes.

El perdón, aunque injusto, nos permite segundas oportunidades sanas. Nos abre la puerta para disfrutar a personas que no tuvieron que ver con quienes nos ofendieron en el pasado. También el perdón funciona en las relaciones que seguimos teniendo como en el caso de los hijos o las parejas que se han lastimado y desean restaurar su relación.

3. El perdón libera al ofendido más que al ofensor

Etimológicamente perdonar significa desatar, desamarrar. Esto nos enseña que cuando alguien nos lastima es como si hiciera un nudo en nuestro interior. Como si le dejáramos amarrado dentro de nosotros. Decimos que ya le perdonamos, pero cuando volvemos a verle experimentamos una sensación que nos carcome interiormente. Pensábamos que éramos libres porque había pasado mucho tiempo, pero continuamos atados. Cargamos con un fantasma en nuestra mente y corazón. El perdón es el mecanismo que deshace el nudo. Libera el amarre que nos tiene anclados al puerto del pasado impidiéndonos partir.

Perdonar no es solamente un mecanismo para liberar de culpa a quien nos ofendió. Su función principal es rescatarnos de la amargura que dejó en nuestros corazones. Así que podemos perdonar a alguien que no está arrepentido de habernos dañado. Incluso a un individuo que ya falleció y dejó una huella dolorosa en nuestra alma. La intención al perdonarle no es solamente dejarle libre de culpa, sino que nosotros sanemos interiormente. Que tengamos paz y desatemos la amarra para navegar mar adentro en la vida.

En otras palabras, aunque ofrecemos el perdón a alguien más, realmente nos estamos liberando a nosotros mismos. Puede darse el caso en que el ofensor no se arrepienta, pero quien perdona ha quedado libre en su interior. Cuando decidimos perdonar intentamos borrar el saldo negativo que el otro dejó en nosotros. Le ofrecemos la oportunidad de que él o ella elimine la culpa que experimentaba en caso de que así fuera. Hay casos en los que quien hizo el daño permanece sintiéndose culpable a pesar de que el agredido ya le perdonó. Pasa esto porque la libertad interior no depende de quién ofrece la disculpa sino de uno mismo. De allí que también se hable de la idea de perdonarnos a nosotros mismos.

Ver el perdón desde esta perspectiva contrarresta el hecho de que sea injusto. Finalmente quien perdona recibe la bendición más importante que cualquiera puede obtener: paz y sanidad de su alma.

4. El perdón es un desinfectante

Al igual que cualquier herida del cuerpo las lesiones emocionales requieren desinfectarse para alcanzar completa sanidad. Existe la creencia popular de que el paso de los días por si mismo sana las heridas del alma, pero no es así. El tiempo cura las heridas que han sido desinfectadas pero desarrolla infecciones más fuertes en aquéllas que no se han lavado. Sabemos que cuando una persona se lastima debe asear muy bien la cortada para no padecer una infección. Si no lo hace así el tiempo se convierte en su enemigo. Cuando un hijo se cae y raspa su rodilla inmediatamente lavamos la herida. Al niño no le gusta que lo hagamos porque le arde. Desinfectar duele, pero nos libra de consecuencias peores.

El perdón es el desinfectante del alma. Se equivoca quien sin perdonar espera que el tiempo borre el rencor que siente. El transcurso de los días sólo acrecentará ese dolor hasta convertirlo en amargura. El tiempo sana las lesiones del corazón que perdonamos pero infecta aquéllas en las que no lo hacemos. Es muy triste encontrar personas que llevan años sin entablar conversación con un ser querido porque en alguna ocasión les lastimó.

Hay familias donde dos hermanos o hermanas tienen años sin hablarse y evitan asistir a los eventos en los que creen que pueden encontrarse. Cuando casualmente coinciden en un mismo lugar no saben cómo comportarse. Se evaden mutuamente y sufren en su interior. Se sienten muy incómodos o incómodas a pesar de que ha pasado mucho tiempo desde la última vez que se vieron o desde el momento en que se lastimaron. El tiempo no ha sanado sus corazones porque no ha habido perdón.

También es cierto que cuando perdonamos nuestras emociones no cambian para bien de inmediato. Pero ese será un tema que veremos más adelante. Por lo pronto sólo deseo hacer énfasis en que el tiempo no es el que sana. Es solamente un factor que favorece la sanidad una vez que hemos decidido perdonar.

5. El perdón debe ser específico

Cuando vamos a perdonar debemos ser específicos respecto a quien perdonamos y por qué evento en particular. Puede parecer un asunto demasiado técnico para tratarse de algo emocional, pero la realidad es que el perdón debe ser específico. Estamos tratando con heridas emocionales y debemos desinfectarlas todas y de una en una.

En mi infancia solía jugar con mis amigos y amigas a algo que llamábamos "el bote robado". Para jugarlo poníamos grava en una lata vacía de refresco o cerveza y tapábamos el orificio con una piedra. Así el frasco hacía ruido como una maraca. El juego era una variante de las "escondidillas". Para empezar designábamos una persona que buscaría al resto. En lugar de contar para permitir que los demás se escondieran debía recoger el bote (que alguien había pateado previamente con todas sus fuerzas) y llevarlo al lugar que se consideraba como base. Dejando la lata allí salía en busca de los demás, quienes intentarían llegar al bote antes que él para quedar libres de convertirse en el próximo encargado de la búsqueda.

El reto mayor del juego quedaba en manos del último en ser encontrado. Si él o ella llegaba a la base y tomaba la lata antes que el buscón, tenía la opción de salvar a todo el grupo. Para hacerlo y convertirse en héroe debía gritar "una, dos, tres por mí y por todos mis amigos". Si esto sucedía el buscador actual tendría que repetir nuevamente su función y el último jugador ganaba el privilegio de ser el siguiente en patear el bote.

Menciono este juego porque he descubierto que mucha gente desea jugar al "bote robado" con el perdón. "Una, dos, tres por mí y por todas mis heridas"; "una, dos, tres por mí y por todos los que me lastimaron". Intentamos perdonar en general y de un sólo golpe para no enfrentar cada situación y el dolor que nos causa. Sería excelente poder hacerlo, pero nuestra alma no funciona así. Requerimos identificar cada herida para desinfectarla.

Si una persona sufre un accidente y se lastima seriamente en el brazo y la pierna va al médico para que le atienda. Si el doctor ha curado su brazo no dejará la pierna tal como está porque ya le sanó el brazo. Sino que procederá a desinfectar cada herida que se encuentre, una por una. Igual sucede con las heridas del alma. Deben sanarse en lo específico porque la curación de una no garantiza que el resto se hayan eliminado.

6. El perdón es un acto de la voluntad

Quizás este sea uno de los puntos más importantes respecto al perdón. Quien no comprende esta característica difícilmente logrará librarse del rencor y amargura que perjudican su alma. Aquí radica la naturaleza básica del acto de perdonar. Por años se nos ha enseñado que perdonar es dejar de sentir. Esta idea es errónea. Constantemente en los seminarios de sanidad interior la gente comenta que no pueden perdonar porque continúan sintiendo coraje y a veces rabia contra quienes les han herido.

—Es muy bonito lo que usted dice, pero ¿qué voy hacer con lo que traigo adentro de mí corazón, con lo que siento? – Me dijo una señora. Después de tragar saliva, agregó:

—Usted no sabe. Lo que me hicieron es sumamente fuerte y doloroso. Este daño me lo provocaron seres muy cercanos a mi vida. Si digo que ya no me importa sería mentira porque siento horrible. Simplemente considero una hipocresía decir que les perdono cuando sé que aborrezco lo que me hicieron. Siento coraje contra ellos.

Mucha gente piensa del perdón lo mismo que esta mujer. Creen que perdonar significa dejar de sentir feo. Consideran que si deciden perdonar y continúan teniendo coraje su perdón es falso. Pero no es así. A ella le respondí que exactamente en esas circunstancias es cuando funciona el perdón. Es allí donde encuentra su razón de ser. Perdonar procede cuando sentimos horrible, cuando abrigamos coraje y desilusión. Si nos sentimos tranquilos respecto de alguien, entonces, ¿qué vamos a perdonarle? Es absurdo pensar que perdonaremos cuando todo está bien porque entonces no existe daño que perdonar. Actuar así sería como decirle a mi hermano, "te perdono porque estoy contento contigo y me siento muy bien".

Estará de acuerdo conmigo que esto es tan absurdo como decidir que nos practiquen una cirugía de corazón cuando estamos sanos y no estar dispuestos a que lo hagan cuando nos duele. A pesar de lo ilógico de este razonamiento, lo hemos creído por años porque pensamos que el perdón es un sentimiento. Dejamos que las emociones dominen nuestra voluntad. Tal como lo dijimos del amor, el perdón también es una decisión. De lo contrario jamás perdonaríamos, ya que las ofensas, traiciones, abusos y agresiones siempre duelen y lastiman los sentimientos.

Perdonar es un acto de la voluntad que nos permite hacer a un lado la ofensa a pesar de lo que sentimos. Profesar el perdón consiste en decirle a nuestro ofensor que decidimos perdonarle a pesar de lo que nos hizo y de lo que sentimos hacia él; ya que como dije, si no sintiéramos pesar se debería a que no fuimos dañados. En este caso no habría actos qué perdonar, ni necesidad de hacerlo.

El perdón es un acto de la voluntad que nos exige tomar varias decisiones y mantenerlas permanentemente. La primera decisión es la que recién comenté y consiste en tener la firme convicción de perdonar a quien o quienes nos lastimaron a pesar de lo que sentimos. La segunda, es confesar ese perdón. Por confesarlo me refiero a hablarlo, declararlo. Bastantes personas perdonan en su mente, es decir analizan la situación y piensan el perdón, pero no lo confiesan con sus labios. Tal vez crea que no hay diferencia importante entre pensar el perdón y hablarlo, pero créame que el beneficio entre hacerlo o no es muy importante.

Declare verbalmente el perdón

Recuerdo un hombre al que ayudé a iniciar el proceso para perdonar. Hablamos sobre su pasado y lo que había quedado guardado en su corazón y procedimos a realizar el ejercicio. Cuando llegó el momento de confesar su perdón vi que no movía los labios, por lo que le pedí que dijera que perdonaba a sus ofensores. Me respondió que acababa de hacerlo en su interior. Insistí que lo intentara de forma hablada. Contestó que no podía hacerlo, que tenía un "nudo" en su garganta que se lo impedía. Lo que él experimentaba era una clara muestra de que no había perdonado correcta y totalmente. Continuaba atado emocionalmente a quienes le habían lastimado, reflejado físicamente en el nudo de su cuello. En el momento en el que confesó su perdón el lazo se transformó en dolorosas palabras y lágrimas liberadoras que trajeron descanso a su cargada alma.

En las Sagradas Escrituras se menciona reiteradamente el poder que existe en hablar y confesar lo que queremos. San Pablo, Salomón, el Rey David, Santiago y el mismo Jesucristo nos hacen ver lo importante de ello. Así, cuando decida perdonar a alguien, confiéselo con su boca. No piense el perdón, háblelo. No importa que usted esté solo o sola. Quizás un día mientras conduce su automóvil recuerda a una persona que debe perdonar. Puede declarar el perdón allí mismo en su auto.

En nuestra boca tenemos poder para desatar o atar el alma. Note el hecho de que no es necesario ir a ver a quién nos ofendió para declararle el perdón. Usted no tiene que ir a decírselo. Claro que si puede y desea hacerlo es algo positivo, pero no es indispensable. Puede darse el caso de perdonar a alguien que no se arrepienta de lo que hizo. Tal vez el ofensor considere injusto que se le considere culpable y por lo tanto no cree que deba ser perdonado. Lo mismo aplica cuando quien dañó nuestros sentimientos es una persona que ya murió. Resulta imposible perdonarle cara a cara. Pero podemos declarar nuestro perdón a Dios diciéndole que tomamos la decisión de perdonar a esa persona por el daño que nos hizo.

Recordemos que el perdón tiene como uno de sus propósitos arrancar las amarras que tenemos en nuestro interior y no sólo liberar al agresor. Este es un punto sumamente trascendente. Por favor venza el temor de hablar el perdón y déjelo que salga por sus labios. Resista la tentación y comodidad de intentar perdonar con el pensamiento. En este sentido el poder no está en su mente, sino en su boca.

En lo que toca a personas que carecen del habla sólo queda expresar ese perdón por otro medio. Pueden escribirlo, significarlo con el lenguaje de señas y dibujarlo. Aquí también es importante involucrar a Dios en el proceso haciéndole testigo de la decisión liberadora que se ha tomado.

Decida no hablar mal del ofensor

La tercera decisión al perdonar implica no hablar más negativamente de los que nos lastimaron. Si hemos decidido perdonarles debemos también decidir dejar de hablar mal de ellos. De hecho cuando no lo hacemos lo único que logramos es regresar al muelle para atarnos nuevamente, pero ahora por voluntad propia. Al criticarles convertimos otra vez el pasado en un ancla para nuestra vida.

Hay personas que tienen heridas del alma causadas por sus padres y deciden perdonarles, pero les critican frecuentemente. Tal vez en una reunión familiar comentan con sus hermanos los desaciertos de los papás. Para aumentar el desprestigio sus hermanos se solidarizan agregando otras anécdotas negativas de los viejos. Así, quien había decidido perdonar revive las experiencias que le dañaron cuando su corazón apenas empezaba el proceso de sanidad y la herida se vuelve a infectar. Quien actúa de esta manera decide volver a amarrarse sin que los supuestos agresores le ofendan.

Esta cuestión es básica en cualquier acto de perdón que practiquemos, pero es de suma importancia en la relación de pareja. Cuando un matrimonio vive un conflicto serio, como infidelidad por ejemplo, y la parte ofendida decide perdonar e intentar sacar la relación adelante, es indispensable no reprochar lo que sucedió. No hay que referirse a ello en riñas posteriores. Hacerlo no sólo desanima al cónyuge, también reaviva la herida que intenta sanar. Cuando realmente deseamos perdonar también debemos decidir hacer un gran esfuerzo por no traer al presente las cosas pasadas. No reclamar lo que ya decidí dejar atrás.

Silencio sin tabú

El perdón es la decisión de borrar las cuentas e intentar empezar nuevamente. Conviene aclarar que debemos ser maduros en esta idea. No debemos hacer un mito del tema. Si en alguna ocasión referimos el error del pasado, ni modo. Esto tampoco significa que por haber hablado estamos condenados irremediablemente a revivir el dolor y llenarnos de amargura. Por supuesto que habrá ocasiones en que hablaremos del asunto y tal vez sea necesario hacerlo. Pero lo importante es con qué intención lo estamos haciendo, con qué frecuencia y con qué personas.

Cuando prohibimos o nos prohíben algo, no sólo se vuelve más atractivo sino que tiende a convertirse en un tabú, y detrás del tabú siempre está el temor. Al prohibirnos hablar de algo lo hacemos más importante de lo que debe ser. Seamos prudentes y evitemos traer al presente lo que ya hemos perdonado, pero no olvidemos utilizar el sentido común que nos muestra cuando debemos hacerlo. La manera más sencilla para saber cuándo sacar el tema y cuándo callar es la siguiente: pregúntese sinceramente cuál es el motivo por el que desea tratar el asunto. Si la intención verdadera es reprochar, desprestigiar, buscar justicia o simplemente vengarse de quien le ofendió, no lo haga. Si el motivo es mejorar su relación con la persona que le lastimó o sanar interiormente, platíquelo, pero no lo haga por mucho tiempo y evite, de ser posible, caer en situaciones específicas y detalles. Otra manera de identificar si es prudente hablar es cuestionarnos si la persona a quien se lo contaremos debe saberlo. La verdad es que en la mayoría de las ocasiones descubrirá que no tenemos una razón conveniente para hablar del tema.

7. El perdón no olvida

Constantemente escucho la frase: "perdono pero no olvido". En el sentido literal esta frase es correcta, aunque la intención con la que generalmente se menciona es incorrecta. Permítame explicarme. El perdón no produce amnesia. Cuando decidimos perdonar a alguien porque nos hirió es imposible olvidar lo que pasó. Sería ideal pero no es posible. Siempre vamos a recordar los eventos y personas que nos causaron heridas fuertes en el alma. Lo importante al perdonar no radica en olvidar lo que sucedió, sino en no sufrir ni experimentar rencor cuando recordemos.

Por otra parte la frase es incorrecta por su intención, ya que cuando alguien dice que perdona pero no olvida se refiere a que realmente no quiere perdonar. Su deseo es hacer justicia o vengarse. Detrás de sus palabras se oculta rencor. No está perdonando. Quien decide perdonar siempre recordará lo que sucedió; pero ya no sufrirá cuando lo recuerde. Esa es la diferencia. El verdadero perdón va eliminando lo que sentimos pero no borra los recuerdos. Nos hace libres del pasado aunque no haya desaparecido de nuestra memoria. Quien ha perdonado puede hablar de lo que le lastimó sin que ahora experimente dolor o resentimiento intensos contra quienes le lastimaron.

8. El perdón involucra alma y espíritu

El proceso del perdón involucra el espíritu y alma del ser humano. Por lo mismo necesitamos trabajar a esos dos niveles. Actuar así implica que debemos hacer lo que nos corresponde para permitir que Dios haga también su parte, la cual está muy relacionada con lo que sentimos. En el perdón las personas toman las decisiones que le corresponden y permiten a Dios que actúe en lo que a él corresponde. La sanidad interior debe alcanzar al alma y al espíritu. Además ¿cómo podemos desaparecer de nuestro corazón lo que siente?

¿Y si no creo en Dios?

En una ocasión, mientras impartía un seminario, una mujer me preguntó qué pasaba con los que no creen en la existencia del Todopoderoso. En su rostro y entonación se notaba su desacuerdo con que yo hubiera mencionado a Dios. Con actitud retadora cuestionó:

—¿Si no creo en Dios ya no tengo esperanza? ¿Estoy destinada a vivir amargada y llena de rencor toda mi vida porque no soy creyente?

El ambiente se puso tenso y la gente esperaba mi respuesta:

—Usted tiene el derecho a no creer, pero en mi experiencia como consejero he visto que quien recurre a Dios sana más rápido. ¡Funciona! No he visto a alguien que sinceramente clame por ayuda a Dios y no haya recibido consuelo. Lo único que puedo responderle es que no podemos controlar lo que sentimos. Y he sido testigo de que Dios puede hacerlo.

No sé si ella quedó satisfecha con mi respuesta. Lo que sí sé es que quien no recurre a Dios tiene más dificultades para recuperarse emocionalmente. Quien le busca aumenta la posibilidad de acelerar el proceso del perdón. He visto casos en los que Dios borra inmediatamente la amargura y dolor de las personas. A esto le llamo milagros y quien los recibe es liberado rápidamente de su pena.

Respecto a la existencia de un ser supremo sólo hay dos posibilidades: que exista o que no. Si no existe y creemos en él, vivimos un bello engaño. Pero si existe y no creímos, perdimos la más grande de todas las realidades de la vida. Y con ello perdemos excelentes beneficios, como tener paz y ayuda sobrenatural para sanar interiormente a pesar de las circunstancias adversas de la vida.

Las emociones tienen el control

La parte de Dios en el perdón consiste en que apague lo que sentimos contra las personas que nos lastimaron. Hacer nuestra parte implica decidir confesar el perdón y decidir dejar de hablar mal de los ofensores. Pero no podemos decidir dejar de sentir. Los sentimientos son el área más difícil de nuestra vida porque no ejercemos dominio total sobre ellos. No decidimos qué sentir y qué no. Sería maravilloso hacerlo, pero la realidad es que no controlamos nuestras emociones. Sólo tenemos control sobre lo que hacemos con esos sentimientos; no sobre los sentimientos en sí. Somos capaces de decidir no golpear a alguien cuando estamos enojados, pero no podemos decidir no sentir coraje.

El corazón no siempre entiende razones. No controlamos lo que sentimos pero sí lo que hacemos cuando sentimos así. No podemos decidir que a partir de hoy sentiremos bonito hacia tal persona o que dejaremos de sentir horrible contra otra. No podemos hacerlo. Debemos reconocer que como humanos tenemos límites y que uno de ellos son los sentimientos. Aquí es donde entra la parte espiritual. Este es el momento ideal para recurrir a Dios, porque puede ejercer control sobre su creación. Conoce lo que sentimos y lo que estamos experimentando.

Cuando hacemos nuestra parte, Él hace la suya. Si decidimos perdonar y las emociones nos siguen lastimando, debemos recurrir a Dios. No importa donde estemos, en nuestra habitación o en el automóvil, podemos decirle: "Señor decido perdonar a tal persona por lo que me hizo.

Quítame lo que siento hacia ella, porque continúo sintiendo terrible. No tengo control sobre esa emoción y anhelo ser libre de esa amarra, por lo tanto decido perdonarle. Dios mío, quítame lo que siento." Por increíble que parezca, funciona, lo he vivido y visto a lo largo de mis años como consejero.

Al perdonar, las emociones negativas siguen vivas y las heridas latentes. Pero si dejamos de hablar mal de los ofensores y le pedimos a Dios que se lleve de nuestro corazón esos sentimientos, Él lo hará. Inténtelo, no pierde nada y tiene todo por ganar. Cuando Jesucristo enseñaba a sus discípulos sobre el perdón afirmó: "lo que atéis en la tierra, será atado en el cielo; y todo lo que *desatéis* en la tierra, será desatado en el cielo" [1]. Jesús dejó en claro varias cosas en esta enseñanza. Lo primero es que de nosotros depende perdonar (desatar). Lo segundo, que también es necesario que Dios participe del proceso para ser totalmente libres y tercero, que Dios no actuará hasta que nosotros decidamos que así sea. Involucre a Dios en su proceso de perdón. Pídale que se lleve los sentimientos negativos de su interior y que le dé fortaleza para ya no hablar mal de quienes le han lastimado. Si usted confía en Él, Él hará. Recuerde que es importante que lo que usted desea decirle a Dios salga de su boca. Hable con Él, que a fin de cuentas eso es la oración.

9. El perdón implica una actitud ante la vida

En un programa de televisión la directora me preguntó cuántas veces debíamos perdonar a una misma persona. También deseaba saber si quien perdona constantemente no es un perdedor en la vida, pues eso de perdonar todos los días no es algo agradable. Ella tenía razón respecto a que

---

1. Evangelio de San Mateo. Capítulo 18.

no es divertido ser lastimado constantemente y perdonar vez tras vez, pero si queremos ser felices realmente no tenemos alternativa.

Le respondí con preguntas:

—¿Desayunó hoy en la mañana?

Desconcertada respondió afirmativamente.

Le solté otra pregunta: - ¿Cenó ayer por la noche?

—Por supuesto - Contesto sonriendo.

—¿Comió ayer a mediodía?

—Sí – dijo. Y agregó: - pero ¿qué tienen que ver mis alimentos con el perdón?

Nuevamente le respondí con otra pregunta: - ¿hace todo lo posible por hacer sus tres comidas todos los días?

Manteniendo su calma profesional comentó: - Por supuesto, Rafael, pero ¿qué significa esto?

Finalmente aclaré: - el perdón es como comer. Comemos todos los días y varias veces porque es una necesidad básica del cuerpo. Lo exige nuestra naturaleza. El perdón es una necesidad básica del alma y debemos satisfacerla si queremos estar sanos. Si nos lastiman y no perdonamos no tendremos salud emocional.

Perdonar no implica restaurar las relaciones

Tenemos dos opciones, vivir perdonando o vivir amargados. Me gustaría que una comida al día fuera suficiente o que en una sola sentada a comer ingiriéramos lo suficiente para una semana; pero nuestro ser no funciona así. El perdón es necesario cada vez que nos lastiman. Si no lo hacemos viviremos en dolor. Por otra parte, si una misma persona nos lastima constantemente necesitamos tomar cartas en el asunto y modificar nuestra manera de relacionarnos con ella o terminar esa relación. Esta es una afirmación muy fuerte y habría que considerar cada caso en específico. Pero una cosa es que decidamos perdonar a quien nos lastima para darle libertad y sanar nuestra alma y otra muy distinta es qué haremos con la relación que tenemos con esa persona.

Podemos perdonar a alguien y decidir no continuar nuestra relación con él o ella. También podemos perdonar a quien nos hirió y decidir trabajar en la restauración de esa relación. Perdonar y restaurar la relación son dos cosas distintas. Decidir a favor de sanar la relación depende de muchos factores y de cada caso en particular. Entre los puntos a considerar están el cariño y compromiso que exista; el tipo de relación; la magnitud de la herida y si se trata de un familiar cercano o solamente de un amigo, entre otros.

10. Pedir perdón implica arrepentimiento

Nosotros también hemos dañado a seres queridos y debemos pedirles perdón. Hacerlo implica ir y pedirles que nos disculpen, pero también dejar de lastimarles y resarcir el daño que hicimos en la medida de lo posible. Si existe una compensación material, o de cualquier otro tipo, que permita compensar la ofensa, hay que ofrecerla.

Arrepentimiento significa cambiar de dirección. Esto quiere decir que una persona arrepentida no es aquélla que se siente mal por lo que hizo, sino la que decide dejar de cometer las mismas acciones. Hemos confundido el término "arrepentido" con "avergonzado". Una persona que es sorprendida en su infracción y experimenta remordimientos por lo sucedido no es alguien que se ha arrepentido, simplemente se siente avergonzada porque ha sido descubierta.

Quien verdaderamente se arrepiente cambia el rumbo de su vida. Deja de realizar las cosas incorrectas que hacía y pide que se le perdone por haberlo hecho. Tal vez en algunas ocasiones siente ganas de volver a cometer su fechoría, pero su arrepentimiento es tan genuino que decide no hacerlo a pesar de su deseo.

En las consejerías matrimoniales he identificado clara-mente la discrepancia entre avergonzarse y arrepentirse. Las mujeres que han sido engañadas por sus maridos me han mostrado la diferencia. Ellas se quejan de que la infi-delidad de sus esposos se había detenido porque habían sido descubiertos, no porque ellos tomaron la decisión de romper la relación ilícita. En otras palabras lo que las espo-sas reclamaban es que sus cónyuges estaban con ellas por sentirse avergonzados, no arrepentidos.

Aunque generalmente la vergüenza precede al arre-pentimiento no siempre es así, ya que la primera es una sensación y el segundo implica un compromiso de actuar correctamente. En otras palabras, en el perdón, como en casi todo en la vida, lo importante no es que pensamos o sentimos, sino qué hacemos y la intención del corazón detrás de esos actos.

Actuemos ahora

Hemos recorrido las características del perdón, por lo que ahora sabemos qué es perdonar y nos será más fácil seguir el proceso de sanidad interior. Para lograrlo es necesario tomarse un tiempo a solas y reflexionar sobre el pasado.

En las próximas páginas encontrará pasos muy sencillos para recuperar la fortaleza y paz interior. Le recuerdo que la situación de cada ser humano es única, entonces el tiempo requerido para sanar emocionalmente es diferente en cada cual y en cada evento. De cualquier manera recomiendo que siga el sistema que le propongo, se tome el tiempo necesario para practicar estos ejercicios, considere a Dios en el proceso y sea totalmente sincero o sincera consigo misma.

Los pasos para perdonar son:

1. Reconocer las situaciones y personas que nos han lastimado a lo largo de la vida y a las que nosotros hemos herido.
2. Decidir perdonarles a pesar de lo que sentimos y pensamos respecto a ellos.
3. Declarar el perdón verbalmente.
4. Decidir no hablar mal de las personas que hemos perdonado.
5. Pedir a Dios que se lleve los sentimientos negativos que continúan en nuestro interior.

Capítulo 6

Ejercicios para perdonar

"Más yo haré venir sanidad sobre ti y sanaré tus heridas, dice Dios; porque desechada te llamaron, diciendo: Esta es Sión, de la que nadie se acuerda".

—Jeremías

Ejercicio 1: El reconocimiento

Aclaración: Es probable que no alcance a realizar todo el ejercicio en una sola sesión. No se preocupe. Lo importante no es que tan rápido lo realiza, sino que sea efectivo. Tómese todo el tiempo que sea necesario y tenga tantas sesiones como necesite. Como apoyo para una mejor realización del ejercicio necesitará releer capítulos anteriores del libro. Hágalo, le dará excelentes resultados.

Preparación previa: Le recomiendo.que planee realizar este ejercicio en un lugar cómodo y privado. Para evitar interrupciones es conveniente hacerlo cuando la familia no está en casa o se encuentra dormida. También deje que su contestador automática se encargue de las llamadas telefónicas o desconecte el teléfono para que no se convierta en una distracción.

Materiales requeridos: Un lápiz o pluma y hojas de papel en blanco.

Propósito del ejercicio: Este ejercicio consiste en hacer una lista de todas aquellas heridas que le hicieron y debe perdonar para recuperar su libertad interior. Recuerde que el objetivo de identificar a quienes nos ofendieron es perdonarles, no tener a quien culpar por como nos ha ido en la vida o las frustraciones y traumas que experimentamos. Lo verdaderamente importante es encontrar soluciones, no culpables.

Para empezar: Antes de iniciar le sugiero orar a Dios para que facilite y bendiga este proceso. Para esto incluyo una oración que espero le sirva de guía por si no sabe cómo hacerlo. Aclaro que ésta no es una oración mágica y que por ningún motivo espero se convierta en un rezo a repetir de memoria. Léala y adopte la intención de la misma. Tome las ideas con las que se identifique y forme su propia oración o simplemente haga una plegaria espontánea en la que expone a Dios los deseos de su corazón. Si se le facilita repetirla tal como está aquí, puede hacerlo, pero siempre con la conciencia que la frase en sí no tiene poder alguno, es la disposición e intención de su corazón lo que produce resultados.

"Señor, me encuentro ante ti con el deseo de perdonar a todas aquellas personas que me han ofendido o lastimado a lo largo de mi vida. Tú sabes cuáles son las heridas que han quedado en mi corazón. Te pido que me ayudes a sanarlas y para ello necesito que traigas a mi mente cada situación que me lastimó así como quien lo provocó. Mi intención no es encontrar culpables para juzgarles sino para perdonarlos. Recuérdame Padre lo que sea necesario y toma mis emociones y pensamientos en tus manos. Te los entrego para que seas tú quien los controle. En ti confío. Te agradezco porque sé que me ayudarás a sanar mi corazón. En el nombre de tu hijo Jesucristo. Amén".

Primera parte: Las que me hicieron

Explicación:
El propósito de esta parte es que haga una lista de todas aquellas situaciones que le lastimaron y marcaron su alma. La lista debe ser específica, es decir, debe anotar cada acontecimiento y la persona que se lo provocó.

Ejemplos:

Había unos jovencitos en mi escuela primaria que se burlaban de mí por el color de mi piel.

Me dolía mucho ver que mi padre golpeara a mamá.

Cada vez que mi pareja me critica me lastima mucho, especialmente cuando lo hizo en la reunión de año nuevo en casa de nuestros amigos.

Mi mamá me gritaba constantemente que le fastidiaba mi presencia.

Estos son algunos ejemplos de situaciones específicas. Para recordar todas las que sean posible le recomiendo volver a leer los capítulos de las necesidades básicas del alma e ir identificando y anotando cuáles necesidades no fueron satisfechas en su vida. Puede parecerle innecesario regresar a esas páginas, pero créame que vale la pena hacerlo, llegarán a usted muchos recuerdos importantes que deben ser sanados. Anote cada uno de ellos por más insignificantes que le parezcan, ya que lo que ahora parece intrascendente, en su momento fue de suma importancia y causó una herida. Tan es así que todavía lo recuerda y vino a su mente al pensar en cosas desagradables que le han acontecido.

Después de anotar las necesidades insatisfechas piense en las agresiones y actitudes de rechazo que le han lastimado y anótelas en la misma hoja. Su listado puede quedar así:

Lista # 1. Las que me han hecho
1. Había unos jovencitos en mi escuela primaria que se burlaban de mí por mi aspecto.
2. Me dolía mucho ver que mi padre golpeara a mamá.
3. Sentía coraje contra mamá porque no se defendía y permitía que papá la tratara mal.
4. Cada vez que mi pareja me critica me lastima mucho, especialmente cuando lo hizo en la reunión de año nuevo en casa de nuestros amigos.

5. Mi mamá me gritaba constantemente que le fastidiaba mi presencia.
6. Mis papás parecían querer más a mi hermano que a mí. Constantemente me comparaban con él y decían que era mejor que yo.
7. Cuando mi amiga me traicionó en secundaria.
8. La vez que el abuelo me encerró como castigo en el *closet*.
9. La infidelidad de mi cónyuge.
10. Cuando me enteré que mi hijo había robado en casa de los vecinos.
11. Cuando mi padre me corregía físicamente sin merecerlo.

Recuerde anotar todos aquellos acontecimientos que dañaron su autoestima y le hicieron sentir inseguro, infeliz, de poco valor o rechazado. A lo largo de su reflexión tome tiempos para cerrar sus ojos y pedir a Dios que le recuerde cada persona que debe perdonar. Tenga por seguro que más rostros y nombres vendrán a su memoria, inclúyalos en la lista. No olvide ser lo más específico o específica que pueda. No juegue al "bote robado".

Póngalo en práctica:

1. Haga la oración inicial.
2. Tome su hoja y lápiz y empiece a anotar sus recuerdos.
3. Lea la sección sobre seguridad y repita el paso dos.
4. Lea la sección sobre aceptación y repita el paso dos.
5. Lea la sección sobre respeto y repita el paso dos.
6. Lea la sección sobre amor y repita el paso dos.
7. Lea la sección sobre identidad y repita el paso dos.

Segunda parte: Las que yo he hecho

Ahora corresponde tomar conciencia de las heridas que nosotros provocamos. Como dijimos anteriormente solemos lastimar más a las personas que más nos aman. Por la cercanía y confianza abrieron sus corazones ante nosotros y, con intención o sin ella, les traicionamos, criticamos, ignoramos o rechazamos y debemos pedirles que nos perdonen.

La dinámica del ejercicio es la misma que la de la primera parte, sólo que ahora nuestra lista será sobre los daños que nosotros provocamos. Generalmente este listado es más corto que el anterior pues recordamos más las heridas que nos hicieron que las que hicimos. Es importante acordarse que aquí no se trata de justificarnos acerca de si nuestro comportamiento fue justo en aquel momento. El único asunto en cuestión es si lastimamos a la otra persona, independientemente de si lo merecía o no. En este caso también debemos ser específicos. Si aún no ha realizado la primera parte puede hacer ambas listas al mismo tiempo. Cuando recuerde un evento en el que le lastimaron anótelo en la hoja número uno y cuando traiga a memoria un daño emocional que usted haya provocado en alguien más, escríbalo en la lista número dos.

Ejercicio 2: Declaración del perdón

Propósito del ejercicio: El objetivo es desatar las amarras del alma a través de perdonar a quienes nos lastimaron y pedir perdón a aquellos que nosotros dañamos.

Primera parte. La lista número uno

Explicación:
Lo que ahora sigue es declarar su perdón. Tome la lista número uno y empiece a perdonar a las personas que

le lastimaron mencionando cada uno de los eventos. No olvide que debemos ser específicos y hablar ese perdón. Usted mismo o misma debe escuchar las palabras salir de su boca. También le recuerdo que no es indispensable hablar con la persona que le dañó para que esto funcione. Cada cual debe decidir si posteriormente tratará el perdón cara a cara, pero no siempre es necesario y conveniente hacerlo. Por el momento limítese a hacer su declaración de perdón en privado.

Ejemplo:

Si continuamos con la lista que puse como ejemplo en el ejercicio anterior la confesión sería parecida a esta:

"Dios mío decido perdonar a aquellos jóvenes de la escuela que se burlaban de mí por mi aspecto físico. Yo suelto ese dolor de mi vida y el peso que esas heridas tengan en mi corazón actualmente. También tomo la decisión de perdonar a mi padre por esa terrible actitud que tenía de golpear a mi mamá. Señor tú sabes que me lastimó mucho al igual que a mis hermanos, pero a pesar de eso decido perdonarle para ser libre del rencor que le he tenido durante todo este tiempo. Le perdono y te pido Señor que tengas misericordia de él. Lo desato de mi vida y declaro que de ahora en adelante podré verle diferente, sin sentir coraje cada vez que le recuerdo o me encuentro con él. Dios mío, también decido perdonar a mi madre. Sé que suena ridículo pero me lastimaba mucho su actitud sumisa, me dolía y todavía me duele al pensar que no se defendía, que permitía que mi padre actuara así con ella y se dejara pisotear. Reconozco que eso también me producía rabia hacia ambos y dañó mi corazón. Sin embargo hoy tomo la decisión de arrancar esas heridas de mi alma

*y te las entrego a ti. Les perdono, me declaro libre de
esas cadenas de amargura y pena que han frenado mi
vida por tantos años...*

Con este ejemplo puede darse una idea de cómo realizar su declaración de perdón. Es probable que mientras
lo hace sienta ganas de llorar y aparezca un nudo en su
garganta que le impida hablar. No se detenga. ¡Siga! Esos
son síntomas claros de que su libertad se encuentra a unas
palabras de distancia. Sáquelas de su corazón a través de
sus labios e iniciará una nueva etapa en el fortalecimiento
de su ser emocional. Si lo que está sucediendo es demasiado
fuerte para usted no trate de cubrir toda la lista en una sola
sesión, hágalo en varias y vaya borrando las personas que
ha perdonado.

Una vez que haya concluido con toda lista puede des-
truirla. Esta es una de las partes más agradables de todo el
proceso. Queme su lista. Átela a una piedra y láncela a un
río o al mar. Amárrela a un globo y deje que se pierda de su
vista en el aire o simplemente hágala pedazos y deposítela
en el cesto de la basura. ¡Usted acaba de dar uno de los
más grandes pasos en su recorrido hacia la paz del alma!

Póngalo en práctica:
1. Confiese que perdona a cada persona de la lista una
   por una.
2. Destruya su lista.

Segunda parte: La lista número dos

Respecto a la lista número dos la situación es más incómoda
ya que ahora debe pedir perdón a quienes ha anotado en
ella. Esta parte no es sencilla y requiere de mucho valor de
su parte, pero los resultados son sumamente gratificantes

y abren la posibilidad de restaurar relaciones que se han cancelado por largo tiempo.

Recuerde que debe identificar con qué personas desea reiniciar su trato y con cuáles no. Podemos solicitar que nos perdonen por varios medios, el más común es ir y hablarlo cara a cara con quien lastimamos. Hacer esto es sumamente recomendable cuando deseamos ir más allá del perdón y queremos revivir la amistad que existía. También podemos hacerlo escribiendo una nota, enviando una carta o correo electrónico y por teléfono. Todo depende de las circunstancias específicas de cada situación.

Aclaraciones importantes:

1. No exprese su solicitud de perdón a personas inconvenientes.

   En las relaciones inconvenientes no debemos exteriorizar nuestra solicitud de perdón a la persona que lastimamos. En lugar de ello debemos hablarlo sólo con Dios, tal como lo haríamos en el caso de quienes ya fallecieron. Por relaciones inconvenientes me refiero a aquellos individuos con los que ya no tenemos trato porque el hacerlo perjudica las relaciones actuales de cualquiera de las dos partes. Esto suele ocurrir cuando alguien reconoce que lastimó a su ex cónyuge mientras eran matrimonio, pero actualmente una o ambas partes se han vuelto a casar. En este caso ir a pedir perdón es inconveniente pues puede despertar emociones del pasado que afecten la vida sentimental con sus nuevas parejas.

   Otro tipo de relaciones inconvenientes se da cuando el hombre o mujer con quien se quiere hablar se desenvuelve en un medio que es peligroso o nocivo para el arrepentido. Imaginemos que un ex traficante de drogas reconoce que hirió a alguno de sus colegas de antaño;

o que un ex alcohólico desea pedir que le perdone un amigo de parrandas que continúa inmiscuido en el vicio. Para ellos ir a disculparse implica un riesgo muy alto, por lo que lo ideal es quedarse en casa y desde allí pedir a Dios que le perdone por haberles lastimado. En estas situaciones no existe el deseo de reanudar la convivencia que existía y acercarse implica el peligro de que quien intenta enmendar la falta regrese a su antigua forma de vida. Por ello no es recomendable que ofrezcan sus disculpas por ningún medio.

Lo mismo sucede, como comenté anteriormente, cuando deseamos estar en paz con alguien que ya murió y a quien nunca le pedimos en vida que nos perdonara. La única opción que nos queda es reconocerlo ante Dios y solicitar que Él nos perdone por haberles dañado.

2.   Sepa que corre el riesgo de ser rechazado.

Cuando solicitamos que nos perdonen corremos el riesgo de ser rechazados por el hombre o mujer a quien lastimamos. Incluso después de hablar con él o ella puede decidir que no nos perdona. Si esto sucede nosotros quedamos libres, pues hemos desatado nuestro nudo, pero no podemos obligar al otro a que haga lo mismo con el suyo. Eso depende completamente de él o de ella. Si decide continuar arrastrándonos dentro de su corazón no podemos hacer algo al respecto, pero hemos quedado libres del lazo que había en nuestro ser.

Explicación: Debe separar en la lista a las personas que expresará su solicitud de disculpa de aquéllas a las que no afrontará directamente, sino que recurrirá exclusivamente al perdón de Dios. Con el primer grupo no sólo debe exteriorizarles su arrepentimiento, sino que tiene que demostrarlo dejando de lastimarles y reponer, en la medida de lo posible, el daño que hizo.

Póngalo en práctica:

1. Separe en su lista a las personas que les pedirá perdón directamente, de aquéllas que es inconveniente hacerlo directamente.
2. Divida su lista de personas a las que pedirá perdón directamente en dos secciones: A) Personas que visitará cara a cara. B) Personas a quienes llamará o les escribirá para pedirles perdón.
3. Anote cómo puede resarcir a cada una el mal que le hizo (en muchos casos la única manera de hacerlo será pidiéndoles perdón).
4. Visite a las personas de la lista A y pídales perdón.
5. Escriba o llame para pedir perdón a las personas de la lista B.
6. Pida perdón a Dios por cada persona que lastimó y anotó en su lista de relaciones inconvenientes.
7. Destruya sus listas.
8. No olvide resarcir materialmente a todos aquellos que sea posible.

Ejercicio 3: Entrega de emociones

Después de realizar los dos ejercicios anteriores lo que resta hacer es entregar sus emociones a Dios. Como expusimos anteriormente nadie tiene control sobre lo que siente y aunque ha decidido perdonar y se ha propuesto ya no hablar mal de los infractores, la mayoría de los sentimientos negativos permanecen en su mente y corazón. Para deshacerse de ellos es necesario solicitar a Dios que cambie sus emociones, que elimine la manera actual de sentir y traiga un nuevo ánimo y esperanza a su vida. Para ello sólo se requiere pedírselo. No importa qué palabras utilice mientras sean sinceras y llenas de intención y significado.

Dios escucha el corazón que está detrás de las palabras. Una vez que haga esto permita que el tiempo trabaje. Ya ha desinfectado la herida y le ha pedido al mejor médico que le prescriba los analgésicos adecuados. Únicamente resta dejar que pasen los días para que surtan efecto y llegue la sanidad a su alma.

Al entregar sus emociones a Dios puede hacer una oración como la siguiente:

"Señor he decidido perdonar, quítame lo que siento, borra de mi corazón estas heridas y dame un corazón nuevo. Te entrego el mío para que lo cambies por completo. Ven a mi vida y quédate conmigo. Transfórmame en una mejor persona. Libérame de las cadenas emocionales que han atado mi existencia y limitado la calidad de mis relaciones, incluyendo mi relación contigo y conmigo mismo. Jesucristo, a ti te lastimaron cruelmente y te atreviste a perdonarles desde la cruz. Te pido que de igual manera perdones a quienes me han dañado (puede nombrar a cada persona) e igualmente perdóname a mí porque también yo he ofendido a otros. Borra de mi corazón todo sentimiento de dolor y no permitas que haya amargura en mí.

Padre eterno, reconozco que siento feo contra mis ofensores y por ello te pido que cambies mis sentimientos. He hecho mi parte al decidir perdonarlos, haz tú la tuya cambiando mis emociones. Dame un corazón de carne y quita este corazón de piedra que se cerró para que ya no le lastimen. Quiero confiar nuevamente en la gente. Deseo tener la libertad de abrir mi corazón para dar y recibir afecto, pero cuídalo para que no sea lastimado otra vez. Lléname de tu amor para compartirlo con la gente que amo. Derrama de tu Espíritu sobre mí y sana mis heridas. Dame también un afecto sobrenatural hacia quienes me hirieron para que mi perdón sea total. Una vez más te doy gracias porque sé que escuchas mi plegaria y la respondes como un padre amoroso. Amén".

Este también es el momento ideal para que pidamos el perdón de Dios por las ofensas que a lo largo de nuestra vida hemos cometido contra Él. Tal vez la más grave sea haberle ignorado y dejado escondido en el interior de un templo para tiempos de necesidad. Por supuesto que su misericordia es tan grande que incluso si sólo le buscamos en momentos de angustia está dispuesto a ayudarnos. Pero que mejor que ahora que hemos decidido tener un corazón renovado restauremos plenamente nuestra comunión con Él.

Aproveche este momento. Cierre el libro y haga una breve pero genuina oración en la que exprese a Dios su arrepentimiento por haberle ofendido. Agradézcale por su perdón, pues tenemos la garantía que nos perdona de inmediato, no por nuestros méritos, sino por su amor incondicional hacia nosotros.

Si usted es una persona poco emotiva y a lo largo de los ejercicios anteriores no experimentó emociones fuertes, no se preocupe, su proceso ha sido tan valioso y efectivo como el de quiénes sí las sintieron. Como he comentado varias veces, esto está más relacionado con nuestras decisiones que con los sentimientos.

EPÍLOGO

Si realizó sinceramente los ejercicios anteriores, usted ha sido liberado interiormente. No caiga en la trampa de las emociones. Si decidió perdonar y ha pedido perdón, usted es libre de las heridas del alma. Actúe como libre, hable como libre, camine como libre y viva como libre. Un hecho terrible en tiempos de la esclavitud era que quienes conocían la libertad por vez primera, no sabían cómo vivir como gente redimida. Había sido tanto el tiempo que vivieron como esclavos que se acostumbraron a esa forma de vida.

Haga a un lado los sentimientos de culpa y reconózcase como un ser sin ataduras. Estaba atado, pero su arrepentimiento y perdón han deshecho las amarras del pasado. A pesar de que todavía puede sentir las marcas de la soga que le sujetaba usted ya no está encadenado. Lo que ha quedado son sólo sensaciones. La realidad es que ha perdonado y pedido perdón y por lo tanto es libre.

La vida es sencilla

La vida es sencilla y las personas somos complicadas. No permita que esa terrible tendencia humana de hacer que las cosas fáciles se vuelvan difíciles le echen a perder su vida. El proceso del perdón es tan simple o intrincado como usted lo desee. Las siguientes veces que alguien le lastime (porque le garantizo que seguirá sucediendo) no retenga el coraje por largo tiempo, mejor perdone de inmediato y en lugar de tener que trabajar para deshacer el lazo suelte la soga antes de que haga el nudo.

Es mejor vivir perdonando que amargados. De igual manera en cuanto identifique que sus acciones o palabras han ofendido a alguien, discúlpese y solicite su perdón. Esto es importante practicarlo con cualquier persona, incluyendo los hijos. Al hacerlo enseñará a los pequeños a perdonar y pedir que les perdonen y aumentará el respeto que tienen hacia usted, ya que se darán cuenta que tiene el valor para reconocer sus errores cuando se equivoca. Esta actitud también legitimará los castigos y reprimendas pues los niños sabrán que sus papás actúan con justicia y conciencia de lo que hacen.

Gran parte de la autoestima y felicidad de los seres humanos descansa en el hecho de que las necesidades básicas del alma sean satisfechas, por lo tanto si quiere hacer felices a quiénes le rodean concéntrese en ofrecerles seguridad, aceptación, respeto, amor e identidad. No se concentre en esperar que alguien supla sus necesidades emocionales. Mejor dedíquese a sembrarlas en los demás. Dios es sabio y ha establecido el principio de la siembra y la cosecha para garantizar que recibiremos lo que deseamos cuando primero lo damos a nuestro prójimo. Concéntrese en poner las semillas de amor en otros y tarde o temprano ellos vendrán a entregarle los frutos y colocar en usted nuevas simientes.

El amor cubrirá muchos errores

En el caminar diario cometeremos errores que lastimarán a nuestros seres queridos incluso sin que nos demos cuenta de ello. Estoy seguro que actualmente, y a pesar de mi sincero deseo de hacer las cosas bien, hiero a mis hijas con actitudes, palabras y acciones. Tal vez no me doy cuenta en este instante pero dentro de algunos años probablemente vendrán a reclamarme los errores que cometí. Es parte de la vida. Por lo mismo necesitamos concentrarnos en sembrar la mejor semilla de todas, aquélla que compensa las grandes equivocaciones que cometemos. Me refiero al amor. El amor expresado es el mejor nutriente y medicina preventiva para el corazón humano. Me encanta el proverbio de Salomón que reza: "El odio despierta rencillas; pero el amor cubrirá todas las faltas."[2]

Mi esperanza sobre el trabajo que Gaby y yo hemos realizado como padres, es que el amor que hemos manifestado a nuestras hijas compense de sobre manera los errores cometidos. Espero que cuando hagan el balance puedan agregar a sus quejas afirmaciones como: "recordamos que nos abrazaban bastante; constantemente nos decían te amo y nos brindaban caricias; cuando había problemas y dificultades allí estuvieron para apoyarnos y escucharnos; nos dedicaron mucho de su tiempo y jugaban con nosotras; en nuestras mochilas, almohadas, refrigerador y el espejo del baño encontrábamos pequeñas notas con palabras de ánimo y afecto; sus besos nos alimentaban todos los días y pedían a Dios por nosotras frecuentemente".

Confío plenamente en que el amor realmente cubre nuestras fallas, mas esto no elimina que ofrezcamos disculpas a quienes ofendemos.

Si al hacer una revisión de su vida descubre que ha habido muchos errores y que parece que ya no hay oportunidad de restaurar los daños causados, no se desanime. Siempre

---

2. Proverbios Cap. 10

hay algo que se puede hacer, desde orar por las personas que lastimamos hasta intentar restaurar relaciones rotas. Es un hecho que no podemos modificar el pasado, pero siempre podemos cambiar el presente y futuro. He aquí lo bello de la existencia. Cada día tenemos una nueva oportunidad para tomar decisiones que nos lleven a una mejor calidad de vida. Hoy podemos enriquecer nuestras relaciones e iniciar un contacto más cercano y genuino con Dios y con nosotros mismos. Siempre es tiempo de cambiar, no importa su edad ni su pasado. Ignoro hasta dónde puede llegar nuestro nivel de felicidad, pero le garantizo que podemos vivir hoy mejor que ayer y mañana mejor que hoy. La vida no se forma de las circunstancias que experimentamos, sino de las decisiones que tomamos alrededor de esas circunstancias.

La vida fue hecha para disfrutarla

Dios nos ha dado la vida para disfrutarla al máximo. Aunque a lo largo de ella enfrentamos sucesos difíciles, debemos concentrarnos en lo bueno que podemos obtener y no en los dilemas. La palabra disfrutar significa quitar el fruto. Hay que aprender de ello. Los seres humanos hemos sido diseñados para recoger los frutos de las siembras que hemos hecho y gozarnos con cada mordida que les damos. Desarrollar una forma de vida basada en el perdón significa arrancar de la fruta el pedazo que se pudrió y comernos el resto que está delicioso.

En ocasiones una fruta que se veía suculenta nos engaña, pues al morderla descubrimos que su sabor no era tan bueno como su apariencia. A veces probamos sin darnos cuenta, una parte que se encontraba fermentada. A pesar de que esta experiencia nos deja un sabor desagradable, no por ello dejaremos de probar y disfrutar el agradable aroma y sabor de otros frutos. La vida sigue y en nosotros está la decisión de gozar de la convivencia con nuestros semejantes o de aislarnos para vivir en soledad en medio de la muchedumbre.

Los seres humanos hemos sido creados para vivir en libertad. Dios no ha dado el perdón como una herramienta para que nuestro ser interior sane, el corazón brille y podamos desarrollar el potencial que poseemos. Hemos sido hechos a imagen de Dios. Tenemos la capacidad de continuar creciendo, mejorando y brindando felicidad a las personas que viven a nuestro alrededor. ¿Hasta donde podemos llegar si tenemos a Dios de nuestro lado y fuimos creados a su semejanza?

Ahora usted conoce el poder liberador del perdón. Ya no se concentre en repartir culpas sino en sanar heridas. Siembre en los suyos el amor que Dios le da. Sea un perdonador como Él lo ha sido con nosotros. Disfrute el tiempo que permanezca en esta maravillosa vida. En ella tenemos la oportunidad de dejar en los corazones de otros un legado de esperanza, alegría y amor. De usted depende.